DÎNERS
simplissimes

Lorsque nous testons une recette, nous évaluons au préalable son niveau de difficulté. Dans ce livre, nous avons utilisé les notations suivantes :

Une marmite indique que la recette est simple et rapide à préparer ; elle est parfaite pour les débutants.

Deux marmites indiquent que la recette nécessite un peu plus d'attention ou un peu plus de temps.

Trois marmites désignent un plat particulier, nécessitant plus de temps, d'attention et de patience, mais le résultat en vaut la peine.

IMPORTANT

Les personnes susceptibles de redouter les conséquences d'une éventuelle salmonellose (personnes âgées, femmes enceintes, jeunes enfants et personnes souffrant d'une déficience immunitaire) doivent demander l'avis de leur médecin avant de consommer des œufs crus.

L'éditeur tient à remercier Chief Australia ; Breville Holdings Pty Ltd ; Kambrook ; Bertolli Olive Oil ; Southcorp Appliances ; Sheldon & Hammond.

En haut : brochettes de crevettes et de saumon à l'asiatique, page 66.
Ci-dessus : gâteau de riz au chocolat, page 94.

SOMMAIRE

En haut : salade de haloumi et de légumes grillés, page 12 *Ci-dessus, à gauche :* carré d'agneau aux tomates séchées et aux champignons, page 42 *Ci-dessus, à droite :* fruits des bois au champagne, page 97

RECEVOIR
DANS LES RÈGLES

Recevoir est toujours un plaisir. Avec quelques recettes raffinées, une gestion du temps adaptée et une attention particulière portée à la présentation, votre prochaine réception sera assurément une véritable fête pour les sens.

Ci-dessus : une table dressée dans les règles de l'art comporte une assiette pour le plat principal, une assiette pour l'entrée et une assiette à soupe. Les couverts sont disposés dans l'ordre d'utilisation, de l'extérieur vers l'assiette. Le couteau à beurre est à gauche, le verre à vin au-dessus des couteaux et les couverts à dessert au-dessus de l'assiette.

DRESSER LA TABLE

La manière dont on dresse d'une table dépend de l'occasion pour laquelle vous recevez. Pour un repas en toute simplicité, utilisez seulement les couverts et les assiettes de base – toute vaisselle supplémentaire serait inappropriée. Toutefois, que ce soit pour un simple repas entre amis ou pour un grand dîner de fête, préférez toujours l'argent, la porcelaine et le cristal.

Veillez à suivre les quelques règles de base proposées ici. Pour un repas traditionnel, disposez l'assiette destinée à l'entrée ou l'assiette à soupe sur l'assiette destinée au plat principal, et ajoutez une petite assiette à gauche pour le pain. Les fourchettes se placent à gauche des assiettes et les couteaux à droite, la lame vers les assiettes. Disposez les couverts dans l'ordre d'utilisation, de l'extérieur vers l'intérieur – les couverts destinés au plat principal seront contre les assiettes pour finir par la cuillère à soupe,

Vous pourrez stocker les ingrédients secs quelques jours mais achetez les ingrédients frais le jour même, de préférence. En prévoyant le menu, veillez à choisir des recettes dont les ingrédients sont de saison. Les asperges, par exemple, ne s'achètent fraîches qu'à certaines périodes.

N'oubliez pas non plus de prévoir les boissons et les garnitures. Certaines pages de cet ouvrage proposent une série de boissons, de salades, de légumes et de pains. Si la recette que vous avez choisie, par exemple, doit s'accompagner de légumes, il vous suffit de choisir parmi la sélection.

Le plus important reste de LIRE ATTENTIVEMENT LA RECETTE ! Assurez-vous que vous avez les ustensiles nécessaires – un robot de cuisine, par exemple. Certains dessert doivent reposer au réfrigérateur, veillez à ne pas les préparer au dernier moment.

Prenez également en compte votre habileté en cuisine. Si vous débutez, choisissez quelque chose de simple. Si vous êtes amateur de défis, préférez faire des essais avant le jour J. Quoi qu'il en soit, les recettes de cet ouvrage sont toutes plutôt simples à réaliser.

par exemple. Les couverts à dessert seront au-dessus de l'assiette. Le couteau à beurre doit être placé à côté du pain, la lame également tournée vers la gauche.

Disposez les verres à vin également dans l'ordre d'utilisation, au-dessus des couteaux.

Si vous manquez d'espace, utilisez une desserte pour poser les vins et leur seau. Les invités pourront également mieux se voir.

TOUT EST DANS LA GESTION DU TEMPS

Il n'est pas nécessaire de se tuer à la tâche jour et nuit pour organiser une réception digne de ce nom. Le but de cet ouvrage est de vous éviter de rester coincé dans la cuisine alors que vos invités sont arrivés. Toutes les recettes se préparent en 15 minutes ou moins, les desserts compris. Voilà qui vous laissera le temps de profiter de vos amis !

Si vous prévoyez de recevoir un grand nombre de personnes et de louer du matériel, prenez-y vous au moins un mois à l'avance. En vous y prenant bien, vous pouvez tout louer, de la salière aux chaises de jardin. Achetez le vin, les bières et les alcools forts à l'avance et conservez-les pour le jour J.

Lorsque vous déciderez du menu, renseignez-vous sur les aliments à proscrire pour chaque invité. Par exemple, si certains sont végétariens, préparez une entrée qui convienne à tous et proposez deux types de plats principaux.

PRÉVOIR LE MENU

Prévoyez le menu très à l'avance. De la sorte, vous serez sûr d'acheter exactement tout ce dont vous avez besoin.

QUE BOIRE ?

Nous sommes nombreux à être intimidés lorsqu'il s'agit de choisir les vins. Pas de panique ! Le mieux reste encore de vous laisser guider par vos goûts personnels. Si vous n'avez véritablement aucune notion en la matière, faites-vous conseiller par un caviste. Certains d'entre eux classent même leurs vins selon les plats qu'ils sont sensés accompagner. Quoi du plus simple ?

Le champagne est tout indiqué pour les grandes occasions car il offre toujours une impression de fête. Débouchez la bouteille délicatement, en prenant soin de ne pas briser un objet ou toucher un invité avec le bouchon, et de ne pas tout répandre sur la table. Après avoir été mis quelques minutes au congélateur, le champagne a tendance à moins facilement se répandre.

Pour ouvrir une bouteille de champagne, retirez tout d'abord l'habillage qui enveloppe le goulot. Dégagez l'œillet du muselet et détordez-le délicatement, puis saisissez le goulot d'une main en pressant le bouchon avec le pouce par sécurité, de sorte qu'il ne s'échappe pas trop brusquement. Conservez le goulot dans une main, saisissez le bouchon de l'autre et tournez délicatement la bouteille de façon à détacher le bouchon sans bruit en s'aidant de la pression du gaz.

Versez le champagne dans les coupes en deux fois : remplissez tout d'abord les coupes au tiers, attendez que la mousse réduise puis remplissez les verres aux deux tiers seulement.

La forme des verre influe sur le goût du vin, c'est la raison pour laquelle il existe autant de formes et de tailles. Les flûtes à champagne permettent de conserver les bulles plus longtemps ; le vin blanc se sert dans de petits verres ballon ; le vin rouge dans des verres ballon plus grands de sorte qu'il puisse « respirer ». Quelle que soit la taille du verre, veillez à ne jamais trop le remplir. Un verre rempli aux deux tiers est un verre rempli.

Pour que votre petit dîner reste dans les mémoires, il importe de prêter attention aux moindres détails. N'importe quelle décoration, même la plus simple, suffit à faire d'une simple table une véritable merveille.

À l'aide d'un couteau tranchant, retirez un morceau d'une pomme verte assez large pour contenir une bougie pour chauffe-plat. Assurez-vous que la cavité que vous creuserez ait exactement la taille de la bougie. Arrosez la pomme de jus de citron de sorte qu'elle ne brunisse pas. Disposez les bougies au centre d'un chemin de table. Les pommes doivent faire la même taille et être stables.

Les plats asiatiques sont aujourd'hui appréciés et il est devenu facile de se procurer les ingrédients nécessaires à la préparation de ce type de plat. Coupez une feuille de bananier en guise de set de table et couvrez-la de papier coloré et d'une natte en bambou. Garnissez des bols d'huîtres à l'asiatique (page 16), de porc hoisin (page 67) ou de crème glacée à la noix de coco (page 92).

Les efforts de présentation permettent de transformer un simple repas en un véritable plaisir pour les sens. Remplissez un coquillage de gros sel et disposez-le sur une petite assiette à la droite de chaque invité. Essayez cette technique de décoration avec une salade d'épinards aux noix de Saint-Jacques (page 37), une tempura de crevettes (page 33) ou avec une soupe de panais à l'oignon caramélisé (page 20).

Il est toujours essentiel, lorsque vous décidez du menu, de privilégier la diversité. Si le plat principal est relativement consistant, choisissez une entrée et un dessert plus légers, ou si le plat principal est à base de viande, essayez de prévoir une entrée végétarienne. Le menu dépendra également de la saison, du lieu et de l'occasion. Pour une réception en extérieur, décorez le centre de la table de kumquats avec leur feuillage. Enroulez les serviettes en papier et décorez-les d'une jolie ficelle. Pour l'occasion, servez des tartelettes à la citrouille (page 32), du poulet grillé et sa salsa verde (page 61) et une tarte tatin (page 93).

Si vous avez prévu des porte-noms, pourquoi ne pas essayer cette solution originale ? Coupez une feuille de papier épais en forme de poire, écrivez le nom adéquat sur le papier et faites un trou au sommet. Attachez le papier à la tige d'une petite poire avec de la jolie ficelle et ajoutez un bâton de cannelle. Essayez les soufflés au fromage (page 18), l'agneau au fenouil et sa purée de panais à l'ail rôti (page 58) ou les carottes confites aux agrumes (page 76).

Si vous avez décidé d'impressionner vos invités, commencez dès l'apéritif en enroulant de fines lanières de saumon fumé autour d'un gressin que vous déposerez sur un verre de martini ou autre alcool d'apéritif. Pour démontrer vos talents de cuisinier, vous pouvez ensuite préparer des terrines de foie de poulet et leurs crostinis (page 21), des médaillons de bœuf aux échalotes et aux épinards (page 49), de la purée de pommes de terre au safran (page 76) ou de la panna cotta et sa sauce au fruit de la passion (page 110).

Pour une réception estivale, mettez de petites fleurs dans des bols que vous disposerez devant chaque assiette. Déposez des bougies pour chauffe-plat au centre de chaque bol pour un repas aux chandelles. Servez des plats légers comme une salade de haloumi et de légumes grillés (page 12), une salade de poulet au bleu et aux noix (page 70) et des fruits des bois au champagne (page 97). Pensez à des boissons rafraîchissantes telles que de la vodka frappé au citron vert (page 30).

Si vous avez du temps devant vous, préparez un petit cadeau pour chaque invité. Procurez-vous autant de petits pots que d'invités, placez du coton au fond de chaque pot et ajoutez des graines de cresson. Les graines de cresson mettront une semaine à éclore (suivez les instructions figurant sur le paquet). Les invités pourront garnir leur plat de cresson ou remporter le pot chez eux. Essayez la soupe de patates douces à la poire (page 10), les filets de bœuf et leur beurre au bleu (page 60) ou les pois mange-tout aux amandes et à la pancetta (page 76).

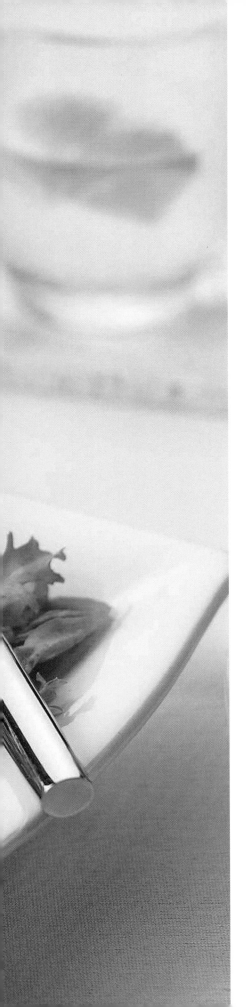

ENTRÉES

GAMBAS GRILLÉES

Préparation : 15 minutes
  + 30 minutes de macération
Cuisson : 5 minutes
Pour 4 personnes

8 gambas
80 ml d'huile d'olive
3 gousses d'ail, hachées
1 cuil. à soupe de sauce
  au piment douce
2 cuil. à soupe de jus
  de citron vert
60 ml d'huile d'olive
  supplémentaires
2 cuil. à soupe de jus
  de citron vert
  supplémentaires
mesclun, en accompagnement

1 Retirer la tête des crevettes et pratiquer une incision le long du dos en conservant la queue et la carapace.

2 Dans une terrine, mettre l'huile d'olive, 2 gousses d'ail hachées, la sauce au piment douce et le jus de citron vert, et bien mélanger. Ajouter les gambas, remuer de sorte qu'elles soient bien enrobées de marinade et laisser mariner 30 minutes. Pour la sauce, mélanger l'huile, le jus de citron vert supplémentaire et l'ail restant. Préparer le barbecue ou chauffer une poêle à fond rainuré. Égoutter les crevettes en réservant la marinade et cuire 1 à 2 minutes de chaque côté – côté incisé en premier – en arrosant régulièrement de marinade. Répartir le mesclun dans 4 assiettes, garnir de gambas et arroser de sauce. Saler et poivrer à volonté et servir immédiatement.

1

2

SOUPE DE PATATES DOUCES À LA POIRE

Préparation : 15 minutes
Cuisson : 30 minutes
Pour 4 personnes

25 g de beurre
1 petit oignon blanc, finement haché
750 g de patates douces orange, pelées et coupées en dés de 2 cm
2 poires fermes (500 g), pelées, évidées et coupées en dés de 2 cm
750 ml de bouillon de poulet ou de légumes
250 ml de crème fraîche
menthe fraîche hachée, en garniture

1 Dans une casserole, faire fondre le beurre à feu moyen, ajouter l'oignon et cuire 2 à 3 minutes, jusqu'à ce qu'il soit tendre, sans laisser dorer. Ajouter les patates douces et les poires, et cuire 1 à 2 minutes sans cesser de remuer. Mouiller avec le bouillon, porter à ébullition et cuire 20 minutes, jusqu'à ce que les patates douces et les poires soient tendres.

2 Laisser tiédir, transférer dans un robot de cuisine et mixer jusqu'à obtention d'une consistance homogène. Reverser dans la casserole, incorporer la crème fraîche et réchauffer sans laisser bouillir. Saler et poivrer à volonté et garnir de menthe fraîche hachée.

SECRETS DU CHEF

Note : la soupe peut être congelée avant l'ajout de la crème. Pour décongeler, réchauffer en ajoutant la crème.

1

2

SALADE AU PORC ET SES CROÛTONS AU BLEU

Préparation : 15 minutes
Cuisson : 10 minutes
Pour 4 personnes

125 ml d'huile d'olive
1 grosse gousse d'ail, hachée
400 g de filet de porc,
    coupé en lamelles
    de 5 mm d'épaisseur
1 petite baguette coupée
    en 20 tranches de 5 mm
    d'épaisseur
100 g de bleu, émietté
2 cuil. à soupe de vinaigre
    de xérès
$\frac{1}{2}$ cuil. à café de sucre roux
150 g de mesclun

1 Mettre l'huile d'olive et l'ail dans un shaker et secouer. Dans une poêle, chauffer 2 cuillerées à café de l'huile aillée, ajouter la moitié du porc et cuire 1 minute de chaque côté. Retirer de la poêle et réserver au chaud. Répéter l'opération avec 2 cuillerées à café d'huile aillée et le porc restant. Saler et poivrer à volonté.

2 Mettre les tranches de pain sur une plaque, arroser une face d'huile aillée et passer au gril jusqu'à ce que le pain soit doré. Retourner les tranches, parsemer de bleu et passer de nouveau au gril, jusqu'à ce que le fromage ait fondu – ce fromage fond très rapidement.

3 Pour la sauce, incorporer le vinaigre de xérès et le sucre roux à l'huile aillée restante. Mettre le mesclun dans une grande terrine, ajouter le porc et la sauce, et bien mélanger le tout. Répartir la salade au porc dans 4 assiettes et disposer 5 croûtons dans chacune. Servir.

1

2

3

SALADE DE HALOUMI ET DE LÉGUMES GRILLÉS

Préparation : 15 minutes
Cuisson : 30 minutes
Pour 4 personnes

4 aubergines, coupées en deux
  dans la largeur, puis dans
  la longueur
1 poivron rouge, coupé
  en lanières épaisses
4 petites courgettes, coupées
  en deux dans la largeur,
  puis dans la longueur
80 ml d'huile d'olive
2 gousses d'ail, hachées
200 g de haloumi, coupé
  en bâtonnets de 5 mm
  d'épaisseur
150 g de pousses d'épinard,
  parées
1 cuil. à soupe de vinaigre
  balsamique

1 Préchauffer le four à 220 °C (th. 6-7). Mettre les légumes dans une terrine, ajouter 60 ml d'huile d'olive et l'ail, et saler et poivrer à volonté. Mélanger, transférer dans un plat allant au four et cuire 20 à 30 minutes, jusqu'à ce qu'ils soient tendres et que les bords soient dorés.

2 Huiler une poêle à fond rainuré, ajouter le fromage et faire griller 1 à 2 minutes de chaque côté.

3 Répartir les pousses d'épinard dans 4 assiettes, et ajouter les légumes et le fromage. Mettre l'huile restante dans un shaker, ajouter le vinaigre balsamique et secouer. Arroser la salade et servir tiède ou froid, accompagné de pain frais.

SECRETS DU CHEF

Note : il est possible de faire griller tout type de légumes – patates douces orange, poireaux et tomates roma, par exemple.

GALETTES
DE SAUMON FRAIS
ET LEUR SALSA
À LA MANGUE

Préparation : 15 minutes
 + 30 minutes de réfrigération
Cuisson : 10 minutes
Pour 6 personnes

1 gousse d'ail, pelée
500 g de saumon frais, sans
  la peau, grossièrement haché
1 oignon rouge, coupé en dés
50 g de chapelure sèche
1 œuf
50 g de feuilles de coriandre
  fraîche, hachées
1 mangue, coupée en dés
60 ml de jus de citron vert

1 Dans un robot de cuisine, mettre l'ail, le saumon et la moitié de l'oignon, et mixer jusqu'à ce que le tout soit finement haché. Ajouter la chapelure, l'œuf et la moitié de la coriandre, saler et poivrer à volonté et bien mélanger le tout. Diviser en 6 portions, façonner des galettes et disposer sur une assiette. Couvrir et mettre au réfrigérateur 30 minutes. Pour la salsa, mettre la mangue, 2 cuillerées à soupe de jus de citron vert et l'oignon restant dans une terrine et bien mélanger le tout.

2 Chauffer une poêle antiadhésive, ajouter le jus de citron restant et les galettes, et cuire 4 à 5 minutes de chaque côté, jusqu'à ce qu'elles soient tendres et toujours rosées au centre. Servir garni de salsa à la mangue.

SECRETS DU CHEF

Note : ces galettes peuvent être servies dans de la focaccia avec du mesclun, ou accompagné de salade.

  À défaut de saumon frais, utiliser du saumon en boîte.

1

2

CHAMPIGNONS AUX FINES HERBES ET BRUSCHETTAS AU CHÈVRE

Préparation : 15 minutes
Cuisson : 25 minutes
Pour 4 personnes

80 g de beurre
4 gousses d'ail, hachées
20 g de persil plat frais, haché
4 gros champignons de couche
  (100 g chacun), sans
  les pieds
4 grosses tranches de pain
  italien, coupées en biais
2 cuil. à soupe d'huile d'olive
150 g de fromage de chèvre,
  à température ambiante
40 g de petites feuilles
  de roquette

1 Préchauffer le four à 180 °C (th. 6). Dans une casserole, faire fondre le beurre, ajouter l'ail et le persil, et cuire 1 minute sans cesser de remuer jusqu'à ce que le tout soit bien mélangé. Répartir la préparation obtenue à l'intérieur des champignons. Chemiser une plaque de papier sulfurisé, ajouter les champignons, côté garni vers le haut, et couvrir de papier d'aluminium. Cuire au four 20 minutes, jusqu'à ce qu'ils soient bien cuits.

2 Enduire les tranches de pain d'huile et passer au gril jusqu'à ce qu'elles soient dorées et croustillantes.

3 Napper les bruschettas de fromage de chèvre et garnir de roquette. Couper les champignons en deux et répartir deux moitiés sur chaque bruschetta. Arroser de jus de cuisson et saler et poivrer à volonté. Servir immédiatement de sorte que les bruschettas ne soient pas détrempées.

1

2

3

BRIOCHES AUX CHAMPIGNONS

Préparation : 15 minutes
Cuisson : 20 minutes
Pour 6 personnes

750 g d'un mélange
de champignons
(de Paris, shiitake,
pleurotes, etc.)
75 g de beurre
4 oignons verts, hachés
2 gousses d'ail, hachées
125 ml de vin blanc sec
300 ml de crème fraîche
2 cuil. à soupe de thym frais
haché
6 petites brioches (*voir* note)

1 Préchauffer le four à 180 °C (th. 6).
Essuyer les champignons avec un
torchon propre humide et couper les
champignons les plus gros en tranches
épaisses.

2 Dans une poêle, chauffer le beurre
à feu moyen, ajouter les oignons verts
et l'ail, et cuire 2 minutes. Augmenter
le feu, ajouter les champignons et cuire
5 minutes en remuant souvent, jusqu'à
ce qu'ils soient tendres. Mouiller avec
le vin et cuire 2 minutes, jusqu'à ce que
la préparation réduise légèrement. Incorporer la crème fraîche et cuire encore 5 minutes à feu moyen, jusqu'à
ce qu'elle ait réduit et légèrement
épaissi. Saler et poivrer à volonté, incorporer le thym et réserver au chaud.

3 Couper le chapeau des brioches et
retirer un quart de la mie avec les
doigts. Disposer les brioches et leur
chapeau sur une plaque et cuire au
four 5 minutes. Répartir les brioches
dans les assiettes, garnir de champignons et replacer les chapeaux. Servir chaud.

SECRETS DU CHEF

Note : il est préférable de se procurer des brioches fraîches.

HUÎTRES À L'ASIATIQUE

Préparation : 15 minutes
Cuisson : 5 minutes
Pour 4 personnes

12 huîtres fraîches
2 gousses d'ail, finement hachées
2 morceaux de gingembre frais de 2 cm, coupés en julienne
2 oignons verts, finement émincés en biais
60 ml de sauce de soja japonaise
60 ml d'huile d'arachide
feuilles de coriandre fraîche, en garniture

1 Disposer les huîtres dans un panier à étuver en bambou chemisé de papier sulfurisé. Mélanger l'ail, le gingembre et les oignons verts, et répartir sur les huîtres. Arroser chaque huître d'une cuillerée à café de sauce de soja et fermer le panier à étuver. Disposer au-dessus d'un wok rempli d'eau frémissante en veillant à ce que l'eau ne touche pas le panier et cuire à la vapeur 2 minutes.

2 Chauffer l'huile d'arachide dans une petite casserole jusqu'à ce qu'elle soit fumante, arroser délicatement les huîtres et garnir de coriandre fraîche. Servir immédiatement.

ASPERGES ET SAUMON FUMÉ, ET LEUR SAUCE HOLLANDAISE

Préparation : 5 minutes
Cuisson : 15 minutes
Pour 4 personnes

175 g de beurre
4 jaunes d'œufs
1 cuil. à soupe de jus de citron
   vert
4 œufs, à température ambiante
310 g de pointes d'asperge
200 g de saumon fumé
copeaux de parmesan,
   en garniture

1 Dans une casserole, faire fondre le beurre, écumer la surface et retirer du feu. Dans une autre casserole, mettre les jaunes d'œufs et 2 cuillerées à soupe d'eau, chauffer à feu très doux et fouetter 30 secondes, jusqu'à obtention d'une consistance pâle et mousseuse. Fouetter encore 2 à 3 minutes, jusqu'à ce que la pré-paration fasse un filet – veiller à ne pas trop fouetter de sorte que les œufs ne soient pas brouillés. Retirer du feu, ajouter le beurre fondu progressivement en battant bien après chaque ajout et en évitant d'ajouter le dépôt blanc resté au fond de la casserole. Incorporer le jus de citron vert, saler et poivrer à volonté et réserver. Si la consistance est trop fluide, remettre sur le feu et battre vigoureusement en veillant à ce que les œufs ne soient pas brouillés.

2 Plonger les œufs dans une casserole d'eau froide, porter à ébullition et cuire 6 à 7 minutes en les retournant de temps en temps. Égoutter, rafraîchir à l'eau courante et écaler. Couper en quartiers.

3 Porter une casserole d'eau salée à ébullition, ajouter les asperges et cuire 3 minutes, jusqu'à ce qu'elles soient tendres. Égoutter et sécher. Répartir les asperges et le saumon dans 4 assiettes, garnir de quartiers d'œufs et napper de sauce. Garnir de copeaux de parmesan, saler et poivrer à volonté et servir.

SOUFFLÉS AU FROMAGE

Préparation : 15 minutes
+ 30 minutes de réfrigération
Cuisson : 45 minutes
Pour 4 personnes

60 g de beurre
30 g de farine levante
250 ml de lait
2 œufs, blancs et jaunes
   séparés
125 g de gruyère, râpé
250 ml de crème fraîche
50 g de parmesan, fraîchement
   râpé

1 Préchauffer le four à 180 °C (th. 6). Graisser 4 ramequins d'une contenance de 125 ml. Dans une casserole, faire fondre le beurre, ajouter la farine et cuire 1 minute à feu moyen, jusqu'à ce que la farine soit dorée. Retirer du feu et incorporer progressivement le lait. Remettre sur le feu et porter à ébullition sans cesser de re-muer de sorte que la préparation épaississe. Laisser mijoter 1 minute, transférer dans une terrine et ajouter les jaunes d'œufs et le fromage. Monter les blancs d'œufs en neige et incorporer délicatement à la préparation précédente.

2 Répartir la préparation obtenue dans les ramequins et passer le doigt dans la préparation le long des parois de sorte que les soufflés lèvent uniformément. Mettre les ramequins dans un plat allant au four, verser de l'eau dans le plat de sorte que les ramequins soient immergés à demi et cuire au four 15 à 20 minutes, jusqu'à ce que les soufflés aient levé et soient dorés. Retirer les ramequins du plat et mettre au réfrigérateur 30 minutes, jusqu'à ce que les soufflés soient froids.

3 Préchauffer le four à 200 °C (th. 6-7). Démouler les soufflés et disposer sur des assiettes, côté bombé vers le bas. Napper de 60 ml de crème fraîche, saupoudrer de parmesan râpé et cuire au four 20 minutes, jusqu'à ce qu'ils aient levé et soient dorés. Servir accompagné de mesclun.

TIMBALES DE FRUITS DE MER À L'AIL

Préparation : 15 minutes
Cuisson : 20 minutes
Pour 4 personnes

90 g de beurre
3 gousses d'ail, hachées
500 g de fruits de mer
(crevettes et noix de Saint-Jacques, par exemple)
40 g de farine
150 ml de vin blanc sec
250 ml de fumet de poisson
250 ml de crème fraîche
120 g de chapelure japonaise

1 Dans une poêle, chauffer 50 g de beurre, ajouter 1 gousse d'ail et cuire 30 secondes. Ajouter le tiers des fruits de mer, cuire 2 à 3 minutes, jusqu'à ce qu'ils soient opaques, et retirer de la poêle. Répéter l'opération avec l'ail et les fruits de mer restants. Laisser le jus de cuisson dans la poêle et incorporer la farine. Mouiller progressivement avec le vin et le fumet, faire revenir sans cesser de remuer jusqu'à obtention d'une consistance homogène et porter à ébullition. Laisser bouillir 2 minutes, jusqu'à ce que la préparation ait réduit de moitié, ajouter la crème et cuire encore 2 minutes. Remettre les fruits de mer dans la poêle, mélanger et répartir le tout dans 4 ramequins d'une contenance de 250 ml.

2 Dans une casserole, faire fondre le beurre restant, verser dans une terrine et incorporer la chapelure et l'ail restant. Répartir dans les ramequins et passer au gril 1 à 2 minutes, jusqu'à ce que les timbales soient dorées.

SECRETS DU CHEF

Note : il est également possible de cuire les timbales au four 15 minutes à 190 °C (th. 6-7).

SOUPE DE PANAIS AUX OIGNONS CARAMÉLISÉS

Préparation : 15 minutes
Cuisson : 40 minutes
Pour 4 personnes

30 g de beurre
3 gros oignons, coupés en deux
    et finement émincés
2 cuil. à soupe de sucre roux
250 ml de vin blanc sec
3 gros panais, pelés et hachés
1,25 l de bouillon de légumes
60 ml de crème fraîche
feuilles de thym frais,
    en garniture

1 Dans une casserole, faire fondre le beurre, ajouter les oignons et le sucre, et cuire 10 minutes à feu doux. Mouiller avec le vin, ajouter les panais et couvrir. Laisser mijoter 20 minutes, jusqu'à ce que les oignons soient tendres et dorés.

2 Mouiller avec le bouillon, porter à ébullition et réduire le feu. Couvrir et laisser mijoter 10 minutes. Laisser tiédir, transférer dans un robot de cuisine et mixer jusqu'à obtention d'une consistance homogène. Saler et poivrer à volonté, ajouter la crème fraîche et garnir de feuilles de thym frais. Servir accompagné de pain frais grillé.

SECRETS DU CHEF

Note : pour une soupe plus fluide, ajouter plus de bouillon.

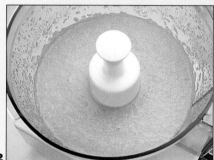

TERRINES DE FOIE DE POULET ET LEURS CROSTINIS

Préparation : 15 minutes
+ 2 heures de réfrigération
Cuisson : 15 minutes
Pour 6 personnes

125 g de beurre
2 grosses gousses d'ail, hachées
1 oignon, finement haché
500 g foies de poulet, parés
   et coupés en deux
2 cuil. à soupe de thym frais
   haché
1 cuil. à soupe de cognac
2 cuil. à soupe d'huile d'olive
   vierge extra
12 tranches de pain italien
   de 1 cm d'épaisseur
   (ciabatta, par exemple)

1 Graisser des ramequins en céramique d'une contenance de 80 ml. Dans une poêle, faire fondre la moitié du beurre, ajouter 1 gousse d'ail hachée et l'oignon, et cuire 4 minutes à feu moyen, jusqu'à ce que l'oignon soit tendre. Ajouter les foies de poulet et les trois quarts du thym, et cuire 4 à 5 minutes à feu vif en remuant de temps en temps, jusqu'à ce que les foies soient cuits mais toujours rosés au centre. Laisser tiédir.

2 Transférer le tout dans un robot de cuisine. Couper le beurre restant en dés, ajouter dans le robot de cuisine avec le cognac et mixer jusqu'à obtention d'une consistance homogène. Saler et poivrer à volonté, répartir la préparation obtenue dans les ramequins et lisser la surface. Couvrir de film alimentaire et mettre au réfrigérateur 2 heures, jusqu'à ce que la terrine ait pris.

3 Mélanger l'huile, l'ail restant et le thym restant, enduire les deux faces des tranches de pain et passer au gril 1 à 2 minutes de chaque côté, jusqu'à ce qu'elles soient dorées. Servir avec les terrines.

1

2

3

VERMICELLE FRIT ET SES CREVETTES AU BASILIC

Préparation : 10 minutes
Cuisson : 15 minutes
Pour 4 personnes

125 g de vermicelle de riz sec
1 blanc d'œuf, légèrement battu
80 ml d'huile d'arachide
500 g de crevettes crues,
    hachées
2 gousses d'ail, finement hachées
1$\frac{1}{2}$ cuil. à soupe de nuoc mam
1$\frac{1}{2}$ cuil. à café de sucre
    de palme râpé
30 g de feuilles de basilic thaïes

1 Mettre le vermicelle dans une jatte, couvrir d'eau bouillante et laisser reposer 1 minute, jusqu'à ce qu'il soit tendre. Égoutter, couper en morceaux à l'aide de ciseaux et incorporer le blanc d'œuf. Dans une poêle, chauffer l'huile, répartir le vermicelle en 8 portions et aplatir de façon à obtenir des galettes de 10 cm de diamètre. Cuire 2 à 3 minutes de chaque côté à feu vif, jusqu'à ce que les galettes soient croustillantes et dorées. Retirer de l'huile, égoutter sur du papier absorbant et réserver au chaud.

2 Ajouter les crevettes et l'ail dans la poêle et cuire 1 à 2 minutes à feu vif, jusqu'à ce que les crevettes changent de couleur. Ajouter le nuoc mam et le sucre de palme, et cuire 1 minute en secouant la poêle de sorte que les crevettes soient enrobées. Incorporer le basilic et frire jusqu'à ce qu'il ait flétri. Répartir la préparation sur les galettes, saler et poivrer à volonté et servir accompagné de quartiers de citron.

THON TERIYAKI AU WASABI ET AU GINGEMBRE

Préparation : 10 minutes
 + 10 minutes de macération
Cuisson : 10 minutes
Pour 4 personnes

125 ml de marinade teriyaki
**½ cuil. à café de poudre
 de cinq-épices**
**1 cuil. à soupe de gingembre
 frais râpé**
2 cuil. à soupe d'huile d'arachide

**3 steaks de thon, coupés
 en 3 lanières**
**60 g de mayonnaise aux œufs
 entiers**
1 cuil. à café de wasabi
**2 cuil. à soupe de gingembre
 confit, en garniture**

1 Dans une terrine non métallique, mettre la marinade, la poudre de cinq-épices et le gingembre, ajouter le thon et couvrir. Laisser mariner 10 minutes, égoutter et jeter la marinade.

2 Dans une poêle antiadhésive, chauffer l'huile, ajouter le thon et cuire 1 à 2 minutes de chaque côté à feu vif, jusqu'à ce qu'il soit cuit. Procéder éventuellement en plusieurs fois si la poêle n'est pas assez grande. Le temps de cuisson dépend de l'épaisseur des steaks.

3 Dans une terrine, mettre le wasabi et la mayonnaise, et bien mélanger. Servir le thon nappé de mayonnaise au wasabi et garni de gingembre confit. Ce plat est parfait avec du riz et des légumes verts cuits à la vapeur.

PETITS-FOURS

WONTONS DE CREVETTES

Décortiquer et déveiner 24 crevettes crues, en conservant la queue. Plier 24 carrés de pâte à wonton en deux dans la diagonale de façon à obtenir des triangles. Délayer 1 cuil. à café de maïzena dans 2 cuil. à café d'eau. Envelopper chaque crevette d'un triangle de pâte et sceller avec la pâte de maïzena. Disposer sur une plaque et mettre au réfrigérateur 20 minutes. Remplir un wok au tiers d'huile et chauffer à 180 °C – un dés de pain doit y dorer en 15 secondes. Cuire les crevettes 1 à 2 minutes, jusqu'à ce qu'elles soient dorées et bien cuites. Égoutter et servir immédiatement avec de la sauce au piment. Pour 24 wontons de crevettes.

CANAPÉS DE LÉGUMES AUX POIREAUX FRITS

Porter 2 casseroles d'eau à ébullition, plonger 2 patates douces orange (850 g environ) dans la première casserole et mettre 5 betteraves parées dans la seconde. Laisser bouillir 35 à 40 minutes, jusqu'à ce que les patates douces et les betteraves soient tendres. Égoutter séparément et laisser tiédir. Peler les betteraves. Couper chaque légume en rondelles de 1 cm d'épaisseur et prélever des étoiles à l'aide d'un emporte-pièce. Dans une terrine, mettre 125 g de crème fraîche, 1 gousse d'ail et $1/4$ de cuil. à café de zeste de citron râpé, mélanger et réserver au réfrigérateur. Remplir un wok au tiers d'huile et chauffer à 190 °C – un dés de pain doit y dorer en 10 secondes. Couper 2 poireaux en julienne, plonger dans l'huile et faire frire 2 à 3 minutes, jusqu'à ce qu'ils soient dorés et croustillants. Égoutter. Avant de servir, napper les étoiles de légume avec le mélange à base de crème fraîche, garnir de poireaux frits et servir à température ambiante. Pour 24 canapés.

CROSTINIS AU FROMAGE DE CHÈVRE ET POIVRONS ROUGES GRILLÉS

Préchauffer le four à 200 °C (th. 6-7). Couper 3 poivrons rouges en quartiers, retirer les pépins et les membranes, et passer au gril jusqu'à ce que la peau noircisse. Mettre dans un sac en plastique, laisser refroidir et peler. Couper la chair en lanières. Mélanger 80 ml d'huile d'olive et 2 gousses d'ail hachées. Dans une baguette, couper en biais 24 tranches de 5 mm d'épaisseur, napper chaque face d'huile aillée et cuire au four 10 à 12 minutes, jusqu'à ce que les tranches soient croustillantes et dorées. Laisser refroidir, napper de 150 g de fromage de chèvre et garnir de poivron et de $1/2$ cuil. à café de pesto prêt à l'emploi. Pour 24 crostinis.

MINI-TARTELETTES AUX OIGNONS CARAMÉLISÉS, À LA FÉTA ET AU THYM

Préchauffer le four à 180 °C (th. 6). À l'aide d'un emporte-pièce de 5 cm de diamètre, prélever 24 ronds dans $1 1/2$ abaisse de pâte brisée, foncer des moules à mini-tartelettes et cuire au four 15 minutes, jusqu'à ce que les fonds soient dorés. Dans une poêle, chauffer 30 g de beurre, ajouter 750 g d'oignons rouges et cuire 35 à 40 minutes à feu doux, jusqu'à ce qu'ils soient tendres et dorés. Ajouter $4 1/2$ cuil. à café de sucre roux, $1 1/2$ cuil. à soupe de vinaigre balsamique et $1/4$ de cuil. à café de thym frais haché, saler et poivrer à volonté et cuire encore 10 minutes. Garnir les fonds de tartelettes, émietter 100 g de féta sur la garniture et passer 30 secondes au gril, jusqu'à ce que le fromage ait légèrement fondu. Garnir de brins de thym frais. Pour 24 mini-tartelettes.

NORIS DE CREVETTES VAPEUR

Dans un robot de cuisine, mettre 1 kg de crevettes crues, décortiquées et déveinées, $1 1/2$ cuil. à soupe de nuoc mam, 2 cuil. à soupe de coriandre fraîche, 1 cuil. à café de feuille de lime-kaffir ciselée, 1 cuil. à soupe de jus de citron vert et 2 cuil. à café de sauce au piment douce. Mixer jusqu'à obtention d'une consistance homogène, ajouter 1 blanc d'œuf et mixer encore 1 à 2 secondes. Étaler 4 feuilles de nori, garnir de farce et rouler fermement. Couvrir et mettre 1 heure au réfrigérateur. À l'aide d'un couteau très tranchant, couper en rondelles de 2 cm d'épaisseur et disposer dans un panier à étuver en bambou chemisé de papier sulfurisé. Couvrir et cuire 5 minutes à la vapeur au-dessus d'un wok rempli d'eau bouillante. Servir accompagné de sauce de soja. Pour 20 noris.

CROÛTONS AU BŒUF ET LEUR MAYONNAISE AU RAIFORT

Préchauffer le four à 180 °C (th. 6). À l'aide d'un emporte-pièce de 4 cm de diamètre, prélever 28 ronds dans des tranches de pain de seigle. Mettre sur une plaque, cuire au four 15 minutes, jusqu'à ce que les croûtons soient dorés et laisser refroidir. Dans une terrine, mettre 3 cuil. à soupe de crème de raifort, 2 cuil. à soupe de mayonnaise et 2 cuil. à café d'estragon frais, mélanger et saler et poivrer à volonté. Couper 150 g rôti de bœuf cru en lanières de 1 cm de largeur. Napper les croûtons de mayonnaise au raifort, garnir de bœuf et de ciboulette fraîche, et servir à température ambiante. Pour 28 croûtons.

Dans le sens des aiguilles d'une montre, de haut en bas : wontons de crevettes ; mini-tartelettes aux oignons caramélisés, à la féta et au thym ; noris de crevettes vapeur ; croûtons au bœuf et leur mayonnaise au raifort ; crostini au fromage de chèvre et aux poivrons rouges grillés ; canapés de légumes aux poireaux frits.

SALADE DE BETTERAVES AU FROMAGE DE CHÈVRE

Préparation : 15 minutes
Cuisson : 30 minutes
Pour 4 personnes

1 kg de betteraves fraîches
    avec les feuilles
200 g de haricots verts
1 cuil. à soupe de vinaigre
    de vin rouge
2 cuil. à soupe d'huile d'olive
    vierge extra
1 gousse d'ail, hachée
1 cuil. à soupe de câpres
    en saumure égouttées,
    grossièrement hachées
100 g de fromage de chèvre

1 Retirer les feuilles de betteraves, gratter les bulbes et rincer les feuilles. Porter une casserole d'eau à ébullition, ajouter les betteraves et réduire le feu. Couvrir et laisser mijoter 30 minutes, jusqu'à ce qu'elles soient tendres. Le temps de cuisson dépend de la taille des betteraves. Égoutter et laisser refroidir. Peler et couper en quartiers.

2 Porter une autre casserole d'eau à ébullition, ajouter les haricots verts et cuire 3 minutes, jusqu'à ce qu'ils soient juste tendres. Retirer à l'aide de pinces, plonger dans une terrine d'eau froide et égoutter. Ajouter les feuilles de betteraves dans l'eau bouillante et cuire 3 à 5 minutes, jusqu'à ce qu'elles soient tendres. Égoutter, plonger dans une terrine d'eau froide et égoutter de nouveau.

3 Pour la sauce, mettre le vinaigre, l'huile, l'ail, les câpres, $1/2$ cuillerée à café de sel et $1/2$ cuillerée à café de poivre noir fraîchement moulu dans un shaker, secouer et laisser reposer. Répartir les quartiers de betteraves, les feuilles de betteraves et les haricots verts dans 4 assiettes, émietter le fromage de chèvre et arroser de sauce.

1

2

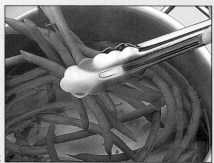

3

CARPACCIO DE SAUMON

Préparation : 15 minutes
Cuisson : aucune
Pour 4 personnes

3 tomates mûres
1 cuil. à soupe de câpres
égouttées
1 cuil. à soupe d'aneth frais
haché
500 g de saumon pour sashimi
(*voir* note)
1 cuil. à soupe d'huile d'olive
vierge extra
1 cuil. à soupe de jus de citron
vert
ciabatta, en accompagnement

1 Pratiquer une incision en croix à la base des tomates, mettre dans une terrine et couvrir d'eau bouillante.

Laisser reposer 2 à 3 minutes et plonger dans de l'eau froide. Égoutter et peler en partant de l'incision. Couper en deux, épépiner et couper la chair en dés. Mettre dans une terrine et incorporer les câpres et l'aneth.

2 À l'aide d'un couteau tranchant, couper le saumon très fines lamelles, perpendiculairement au sens de la fibre, et répartir dans 4 assiettes en une seule couche.

3 Garnir de salade de tomate. Battre l'huile et le jus de citron vert, saler et poivrer à volonté et arroser le saumon. Poivrer et servir immédiatement, accompagné de ciabatta.

SECRETS DU CHEF

Note : le saumon pour sashimi, très frais et de bonne qualité, est servi cru dans la cuisine japonaise. À défaut, utiliser du saumon fumé.

1

2

3

TOMATES ET AUBERGINES GRILLÉES À LA PURÉE DE LENTILLES

Préparation : 15 minutes
Cuisson : 1 h 10
Pour 6 personnes

**60 ml d'huile d'olive vierge
extra**
**1 cuil. à soupe de vinaigre
balsamique**
**9 tomates roma, coupées
en deux dans la longueur**
**500 g d'aubergines, coupées
en 12 rondelles de 1,5 cm
d'épaisseur**
625 ml de bouillon de légumes
200 g de lentilles rouges
1 gousse d'ail, hachée
150 g de feuilles de roquette

1 Préchauffer le four à 180 °C (th. 6). Huiler une plaque de four. Pour la vinaigrette, mettre l'huile et le vinaigre dans une terrine, saler et poivrer à volonté et bien battre le tout à l'aide d'un fouet.

2 Sur la plaque, répartir les aubergines et les tomates, côté coupé vers le haut, et enduire de 1 cuillerée à soupe de vinaigrette. Cuire au four 40 minutes, retirer les aubergines de la plaque et cuire les tomates encore 30 minutes, jusqu'à ce que les bords soient dorés. Transférer dans un plat de service.

3 Dans une casserole, porter le bouillon à ébullition, ajouter les lentilles et porter de nouveau à ébullition. Laisser bouillir 10 minutes, jusqu'à ce que les lentilles soient tendres, ajouter l'ail et 1 cuillerée à soupe de vinaigrette, et cuire encore 5 minutes sans cesser de remuer, jusqu'à obtention d'une purée épaisse. Saler et poivrer à volonté. Répartir la purée dans 6 assiettes et garnir de feuilles de roquette, d'aubergines et de tomates. Arroser de vinaigrette et servir accompagné de pain frais.

TIMBALES DE RIZ AU CANARD GRILLÉ

Préparation : 15 minutes
 + 2 heures de réfrigération
Cuisson : 20 minutes
Pour 4 personnes

1 kg de canard grillé
2 gousses d'ail, hachées
200 ml de jus d'orange
2 cuil. à soupe de sauce
  de soja
4 cuil. à soupe de coriandre
  fraîche hachée
500 ml de bouillon de poulet
250 g de riz brun à cuisson
  rapide

1 Prélever la chair du canard, couper en lamelles et mettre dans une terrine non métallique. Dans une autre terrine, mettre l'ail, le jus d'orange, la sauce de soja et 2 cuillerées à soupe de coriandre, battre le tout et ajouter au canard. Couvrir et mettre 2 heures au réfrigérateur.

2 Dans une casserole, porter le bouillon à ébullition, ajouter le riz et réduire le feu. Laisser mijoter jusqu'à ce que des cratères se forment à la surface. Réduire le feu, couvrir et cuire 10 à 12 minutes, jusqu'à ce que le riz soit tendre. Incorporer la coriandre restante, répartir dans 4 ramequins d'une contenance de 125 ml et réserver au chaud.

3 Égoutter le canard en réservant la marinade. Chauffer une poêle, ajouter le canard et faire revenir jusqu'à ce qu'il soit doré. Verser la marinade dans une casserole et porter à ébullition. Démouler les timbales de riz dans les assiettes, garnir de canard et arroser de marinade. Garnir éventuellement de feuilles de coriandre fraîche.

SECRETS DU CHEF

Variante : répartir les quartiers de 2 oranges au fond des ramequins et parsemer de graines de sésame grillées.

1

2

3

COCKTAILS

COCKTAIL À LA PÊCHE

Pratiquer une incision en croix à la base de 6 pêches, plonger dans une terrine d'eau bouillante et transférer délicatement dans une terrine d'eau froide à l'aide d'une écumoire. Peler, retirer le noyau et hacher la chair. Mettre dans un robot de cuisine, ajouter 500 ml de vin blanc frais et 60 g de sucre en poudre, et mixer jusqu'à obtention d'une consistance homogène. Mettre des glaçons dans 6 grands verres, ajouter le cocktail et garnir d'une feuille de menthe. Pour 6 personnes

COCKTAIL AU KIWI

Peler 4 kiwis, mettre dans un robot de cuisine et mixer. Ajouter 500 ml de jus de fruits tropicaux et 250 ml de jus d'ananas, et mixer jusqu'à obtention d'une consistance homogène. Mettre au réfrigérateur jusqu'à ce que le cocktail soit bien frais. Mettre des glaçons dans 6 grands verres, ajouter le cocktail et compléter avec de l'eau gazeuse. Garnir de fraises et de kiwis hachés, et décorer de feuilles de menthe. Pour 6 personnes

COCKTAIL AU CHAMPAGNE

Dans 6 flûtes à champagne, mettre 1 morceau de sucre et $1/2$ cuil. à café de grenadine, verser le champagne et garnir d'une demi-fraise. Servir immédiatement. Pour 6 personnes

COCKTAIL AU RAISIN

Dans une casserole, mettre 60 ml de sucre en poudre et 1 litre de jus de raisin noir, et chauffer à feu doux sans cesser de remuer jusqu'à ce que le sucre soit dissous. Incorporer 60 ml de jus de citron et mettre au réfrigérateur jusqu'à ce que le cocktail soit froid. Mettre des glaçons dans 6 grands verres, verser le cocktail jusqu'aux trois quarts des verts et compléter avec de l'eau gazeuse. Garnir d'une rondelle de citron. Couper 12 raisins verts en deux, planter sur 6 piques à cocktail et disposer sur les verres. Pour 6 personnes

COCKTAIL À LA MANGUE

Peler 2 mangues, retirer la chair du noyau et mettre dans un robot de cuisine. Ajouter 500 ml de jus d'orange et 60 g de sucre en poudre, et mixer jusqu'à obtention d'une consistance homogène. Ajouter 500 ml d'eau gazeuse très fraîche, répartir dans 6 grands verres et ajouter des glaçons. Ajouter un trait de rhum blanc et garnir de lamelles de mangue fraîche. Pour 6 personnes

VODKA FRAPPÉE AU CITRON VERT

Concasser 40 glaçons dans un robot de cuisine, répartir dans 6 grands verres et ajouter 30 ml de vodka et 20 ml de cordial de citron vert. Mélanger légèrement et servir immédiatement. Pour 6 personnes

---

Dans le sens des aiguilles d'une montre, de haut en bas : cocktail à la pêche ; cocktail au raisin ; cocktail à la mangue ; vodka frappée au citron vert ; cocktail au champagne ; cocktail au kiwi.

TARTELETTES
À LA CITROUILLE

Préparation : 15 minutes
Cuisson : 25 minutes
Pour 6 personnes

6 abaisses de pâte feuilletée
1,2 kg de citrouille, coupée
en 6 morceaux
6 cuil. à soupe de crème aigre
ou de fromage frais
sauce au piment douce,
en accompagnement

1 Préchauffer le four à 200 °C (th. 6-7). Graisser 6 moules à tartelettes de 10 cm de diamètre. Prélever 6 ronds de 15 cm de diamètre dans les abaisses de pâte feuilletée et foncer les moules à tartelette. Piquer la pâte à l'aide d'une fourchette, disposer sur une plaque et cuire au four 15 à 20 minutes, jusqu'à ce que les fonds de tartelette soient dorés. Presser les éventuelles bulles d'air qui se forment au cours de la cuisson. Laisser refroidir.
2 Cuire la citrouille à la vapeur 15 minutes, jusqu'à ce qu'elle soit tendre.
3 Garnir chaque fond de tartelette d'une cuillerée à soupe de crème aigre, garnir de citrouille et saler et poivrer à volonté. Arroser de sauce au piment, cuire au four encore 5 minutes et démouler. Servir immédiatement.

1

2

3

TEMPURA DE CREVETTES AU SÉSAME

Préparation : 15 minutes
Cuisson : 10 minutes
Pour 6 personnes

Sauce au soja

1 cuil. à soupe de gingembre
   frais râpé
250 ml de sauce de soja
   japonaise
1 cuil. à soupe de graines
   de sésame grillées
1 cuil. à soupe de sucre
   en poudre

huile, pour la friture
125 g de farine pour tempura
2 cuil. à soupe de graines
   de sésame

750 g de crevettes crues,
   décortiquées et déveinées,
   en conservant la queue

1 Mélanger les ingrédients de la sauce.

2 Remplir une casserole à fond épais aux trois quarts d'huile et chauffer à 180 °C – un dé de pain doit y dorer en 15 secondes. Dans une terrine, mettre la farine pour tempura et les graines de sésame, et incorporer progressivement 185 ml d'eau glacée sans cesser de battre à l'aide de baguettes. La pâte doit rester grumeleuse.

3 Passer 3 ou 4 crevettes dans la pâte, plonger dans l'huile et faire frire 1 à 2 minutes, jusqu'à ce qu'elles soient dorées. Égoutter sur du papier absorbant froissé et répéter l'opération avec les crevettes restantes. Servir immédiatement accompagné de sauce.

1

2

3

MOULES AUX TOMATES ET AU BASILIC

Préparation : 15 minutes
Cuisson : 10 minutes
Pour 4 personnes

125 ml de vin blanc
2 feuilles de basilic frais
1 kg de moules, grattées
    et ébarbées
500 g de sauce tomate
1 à 2 cuil. à café de sucre
2 cuil. à soupe d'huile d'olive
    vierge extra
4 cuil. à soupe de basilic frais
    ciselé
2 cuil. à soupe de ciboulette
    fraîche hachée

1 Dans une casserole, mettre le vin et les feuilles de basilic, et porter à ébullition. Jeter les moules cassées, ajouter les moules restantes dans la casserole et couvrir hermétiquement. Cuire 4 minutes à feu vif, jusqu'à ce que les moules soient ouvertes.

2 Dans une terrine, mettre la sauce tomate, le sucre, l'huile d'olive et le basilic ciselé, et bien mélanger le tout.

3 Jeter les moules qui sont restées fermées, égoutter en réservant le jus de cuisson et remettre les moules dans la casserole. Ajouter le mélange précédent et 125 ml de jus de cuisson, et chauffer 3 à 4 minutes à feu doux sans cesser de remuer, jusqu'à ce que le tout soit chaud. Parsemer de ciboulette, répartir dans des bols et servir immédiatement.

1

2

3

SALADE AUX ŒUFS ET AUX ARTICHAUTS

Préparation : 15 minutes
+ 20 minutes de réfrigération
Cuisson : 20 minutes
Pour 4 personnes

6 œufs
500 g de cœurs d'artichauts
marinés à l'huile en bocal
1 œufs supplémentaire,
légèrement battu
100 g de chapelure sèche
60 ml d'huile d'olive, un peu
plus pour la cuisson
2 cuil. à soupe de jus de citron
6 tranches de prosciutto
150 g de petites feuilles
de roquette

1 Mettre les œufs dans une casserole d'eau froide, porter à ébullition et réduire le feu. Cuire 8 minutes, rafraîchir à l'eau courante et écaler. Hacher 2 œufs, couper les œufs restants en quartiers et réserver.

2 Égoutter les artichauts et sécher avec du papier absorbant. Enrober les cœurs d'artichaut d'œuf battu, passer dans la chapelure et mettre au réfrigérateur 20 minutes. Dans une terrine, mettre l'huile d'olive et le jus de citron, battre et saler et poivrer à volonté. Passer le prosciutto au gril 1 à 2 minutes de chaque côté, jusqu'à ce qu'il soit doré et croustillant, laisser refroidir et couper en morceaux.

3 Verser 1 cm d'huile dans une casserole et chauffer à 190 °C – un dé de pain doit y dorer en 10 secondes. Ajouter la moitié des cœurs d'artichaut et faire frire 1 à 2 minutes de chaque côté, jusqu'à ce qu'ils soient dorés et croustillants. Égoutter sur du papier absorbant et répéter l'opération avec les cœurs d'artichaut restants. Mettre la roquette dans une terrine, ajouter la sauce et mélanger. Répartir sur 4 assiettes, garnir de quartiers d'œufs, de cœurs d'artichauts et de prosciutto, et parsemer d'œuf râpé. Saler et poivrer à volonté et servir immédiatement.

POIVRONS GRILLÉS ET LEURS BRUSCHETTAS

Préparation : 15 minutes
+ 2 heures de réfrigération
Cuisson : 10 minutes
Pour 4 personnes

**2 poivrons jaunes, coupés
    en quartiers
2 cuil. à soupe de vinaigre
    balsamique
2 cuil. à café de romarin frais
    haché
100 ml d'huile d'olive
1 baguette, coupée en
    12 tranches de 1 cm
    d'épaisseur
1 gousse d'ail, pelée
100 g de mesclun
copeaux de parmesan,
    en garniture**

1 Passer les poivrons 5 minutes au gril, côté peau vers le haut, jusqu'à ce que la peau noircisse. Mettre dans un sac en plastique, laisser refroidir et peler. Émincer finement la chair, mettre dans une terrine et ajouter le vinaigre, le romarin et 2 cuillerées à soupe d'huile d'olive. Saler et poivrer à volonté et mettre au réfrigérateur 2 heures.

2 À l'aide d'un emporte-pièce de 5 cm de diamètre, prélever des ronds dans les tranches de pain, graisser avec l'huile restante et passer au gril 1 minute de chaque côté, jusqu'à ce que les bruschetta soient dorées et croustillantes. Frotter une face de chaque bruschetta de pain avec la gousse d'ail.

3 Répartir le mesclun dans 4 assiettes. Égoutter les poivrons en réservant la marinade. Disposer une bruschetta au centre de chaque assiette et garnir de la moitié des poivrons. Ajouter une bruschetta sur les poivrons, répartir les poivrons restants et terminer par les dernières bruschettas. Saupoudrer de parmesan, saler et poivrer à volonté et arroser de marinade. Servir immédiatement.

1

2

3

SALADE D'ÉPINARDS AUX NOIX DE SAINT-JACQUES ET AU GINGEMBRE

Préparation : 10 minutes
Cuisson : 5 minutes
Pour 4 personnes

300 g noix de Saint-Jacques, sans le corail
100 g de pousses d'épinard fraîches
1 petit poivron rouge, coupé en très fines lanières
50 g de pousses de soja
25 ml de sake
1 cuil. à soupe de jus de citron vert
2 cuil. à soupe de sucre de palme râpé
1 cuil. à café de nuoc mam

1 Retirer les veines, les membranes et le muscle blanc des noix de Saint-Jacques. Huiler une poêle à fond rainuré, ajouter les noix de Saint-Jacques et cuire 1 minute de chaque côté.

2 Répartir les épinards, le poivron et les pousses de soja dans 4 assiettes et garnir de noix de Saint-Jacques.

3 Pour la sauce, mélanger le sake, le jus de citron vert, le sucre de palme et le nuoc mam. Arroser la salade et servir immédiatement.

SECRETS DU CHEF

Note : parsemer éventuellement de graines de sésame grillées.

PLATS PRINCIPAUX

CÔTELETTES DE VEAU ET LEUR PURÉE DE POMMES DE TERRE AU CÉLERI

Préparation : 5 minutes
Cuisson : 35 minutes
Pour 4 personnes

2 cuil. à café d'huile d'olive
100 g de beurre
4 côtelettes de veau de 2 cm d'épaisseur
20 g de feuilles de sauge fraîche, sans les tiges
60 ml de jus de citron
500 g de pommes de terre, pelées
750 g de céleri, pelé
2 cuil. à soupe de crème fraîche

1 Préchauffer le four à 180 °C (th. 6). Dans une poêle, chauffer l'huile et 25 g de beurre, ajouter les côtelettes et cuire 1 à 2 minutes de chaque côté, jusqu'à ce qu'elles soient dorées. Transférer dans un plat allant au four. Mettre la sauge dans la poêle, remuer de façon à l'enrober de jus et ajouter aux côtelettes. Cuire au four 12 minutes. Ajouter 25 g de beurre et le jus de citron dans la poêle sans la nettoyer et racler de façon à détacher les sucs. Transférer les côtelettes sur 4 assiettes en réservant 2 cuillerées à soupe de jus de cuisson et réserver au chaud.

2 Ajouter le jus de cuisson réservé dans la poêle et réchauffer à feu vif. Porter une casserole d'eau à ébullition, couper les pommes de terre et le céleri en cubes et cuire séparément. Égoutter, remettre les pommes de terre dans la casserole, ajouter la crème et le beurre restant, et réduire en purée. Mettre le céleri dans un robot de cuisine, réduire en purée et incorporer à la purée de pommes de terre. Arroser les côtelettes de jus de cuisson, saler et poivrer à volonté et servir accompagné de purée.

SAUMON AU BOK CHOY, AUX NOUILLES ET AU GINGEMBRE

Préparation : 10 minutes
Cuisson : 15 minutes
Pour 6 personnes

2 cuil. à café de dashi
3 morceaux de gingembre frais
   de 3 cm, pelés et coupés
   en julienne
8 oignons verts, finement
   émincés en biais
750 g de bok choy, paré
   et feuilles séparées
3 cuil. à café de sauce de soja
   japonaise
200 g de nouilles soba
2 cuil. à soupe d'huile d'arachide
6 filets de saumon (150 à 200 g
   chacun), peau et arêtes
   retirées

1 Dans une casserole, mettre 1,5 l d'eau et le dashi, porter à ébullition et ajouter le gingembre, les oignons verts et le bok choy. Réduire le feu, couvrir et laisser mijoter 5 minutes, jusqu'à ce que le bok choy ait flétri. Incorporer la sauce de soja, retirer du feu et réserver au chaud.

2 Porter une casserole d'eau à ébullition, ajouter les nouilles et cuire 1 minute, jusqu'à ce qu'elles soient tendres. Égoutter et réserver au chaud.

3 Dans une poêle, chauffer l'huile, ajouter les filets de saumon et cuire 3 minutes de chaque côté, jusqu'à ce qu'ils soient cuits mais toujours rosés au centre. Répartir les nouilles dans 6 assiettes à soupe, ajouter le bok choy et le bouillon, et garnir de saumon. Saler et poivrer à volonté, parsemer de coriandre fraîche et servir éventuellement accompagné de quartiers de citron.

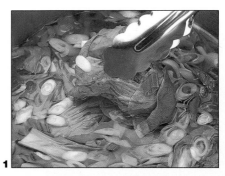

1

2

3

PETITS POULPES GRILLÉS

Préparation : 15 minutes
Cuisson : 5 minutes
Pour 4 personnes

1,5 kg de petits poulpes
250 ml de sauce au piment
    douce
80 ml de jus de citron vert
80 ml de nuoc mam
60 g de sucre roux
huile, pour la cuisson
200 g de mesclun,
    en accompagnement
quartiers de citron vert,
    en garniture

1 Couper les têtes des poulpes et les jeter. Retirer le bec avec les doigts. Rincer à l'eau courante, égoutter et sécher.
2 Dans un bol, mettre la sauce au piment, le jus de citron vert, le nuoc mam et le sucre, et bien mélanger le tout.
3 Huiler une poêle à fond rainuré, chauffer jusqu'à ce que l'huile soit fumante et ajouter les poulpes. Cuire 3 à 4 minutes en retournant souvent, jusqu'à ce qu'ils changent de couleur. Enduire d'un quart de la marinade en cours de cuisson et veiller à ne pas trop cuire. Servir immédiatement sur un lit de mesclun, accompagné de la marinade restante et garni de quartiers de citron vert.

CARRÉ D'AGNEAU AUX TOMATES SÉCHÉES ET AUX CHAMPIGNONS

Préparation : 15 minutes
Cuisson : 1 h 05
Pour 6 personnes

2 kg (16 à 18 côtelettes)
    de carré d'agneau
30 g de beurre
300 g de champignons
    de Paris, émincés
2 gousses d'ail, hachées
2 oignons verts, émincés
160 g de chapelure fraîche
100 g de tomates séchées
    au soleil à l'huile, égouttées
    et émincées, en réservant
    2 cuil. à soupe d'huile

1 Préchauffer le four à 210 °C (th. 7). Envelopper les os du carré d'agneau de papier d'aluminium. Dans une poêle, faire fondre le beurre, ajouter les champignons, l'ail et les oignons verts, et cuire 5 minutes à feu moyen, jusqu'à ce que le tout soit tendre. Saler et poivrer à volonté, ajouter la chapelure et les tomates séchées, et mélanger.

2 Presser la préparation obtenue au centre du carré d'agneau en veillant à ce que les tomates ne soient pas à la surface, de sorte qu'elles ne brûlent pas à la cuisson. Transférer dans un plat allant au four, ajouter l'huile des tomates réservée et cuire au four 45 à 60 minutes. Couvrir éventuellement de papier d'aluminium après 30 minutes de cuisson de façon à éviter que la farce brunisse trop vite. Arroser de jus de cuisson, laisser reposer 10 minutes et servir accompagné de légumes cuits à la vapeur.

SECRETS DU CHEF

Note : demander au boucher de manchonner le carré d'agneau, c'est-à-dire de dégager les os. À défaut, le faire soi-même à l'aide d'un couteau tranchant.

1

2

ROULEAUX DE PORC AU PROSCIUTTO

Préparation : 15 minutes
Cuisson : 25 minutes
Pour 4 personnes

12 longs brins d'origan frais
12 tranches de prosciutto
très fines, pliées en deux
dans la longueur
4 filets de porc (800 g), parés
2 cuil. à soupe d'huile
125 ml de vin blanc
200 ml de bouillon de poulet
2 cuil. à soupe de sauce Wor-
cestershire

1 Préchauffer le four à 180 °C (th. 6). Envelopper délicatement chaque filet de porc de 3 tranches de prosciutto et de 3 brins d'origan, et maintenir à l'aide de piques à cocktail.

2 Dans une poêle antiadhésive, chauffer l'huile, ajouter les rouleaux de porc et cuire à feu vif en retournant souvent jusqu'à ce qu'ils soient uniformément dorés. Transférer sur une plaque et cuire au four 10 à 15 minutes, jusqu'à ce qu'ils soient bien cuits.

3 Verser le vin dans la poêle, porter à ébullition et racler la poêle de façon à détacher les sucs. Ajouter le bouillon de poulet et la sauce Worcestershire, porter à ébullition et laisser bouillir 5 minutes, jusqu'à ce que la sauce ait réduit de moitié. Retirer les piques des rouleaux, couper en rondelles de 2 cm d'épaisseur en biais et répartir sur 4 assiettes. Napper de sauce et servir accompagné de purée et de légumes cuits à la vapeur.

1

2

3

POULET AU FROMAGE DE CHÈVRE ET À LA SEMOULE

Préparation : 15 minutes
+ 5 minutes de repos
Cuisson : 20 minutes
Pour 4 personnes

4 blancs de poulet
150 g de fromage de chèvre, grossièrement haché
150 g de tomates séchées au soleil, hachées
3 cuil. à soupe de basilic frais ciselé
185 g de semoule
1 cuil. à soupe de jus de citron
1 cuil. à soupe d'huile d'olive
quartiers de citron, en garniture

1 Pratiquer une incision dans la partie la plus épaisse des blancs de poulet, en veillant à ne pas percer la peau de part en part. Mélanger le fromage de chèvre, les tomates séchées et 2 cuillerées à soupe de basilic, farcir les blancs de poulet du mélange obtenu et maintenir à l'aide d'une pique à cocktail.

2 Dans une poêle antiadhésive, chauffer l'huile, ajouter le poulet et cuire 8 à 10 minutes de chaque côté à feu moyen, jusqu'à ce qu'il soit bien cuit et doré. Couper le poulet en lamelles en biais.

3 Mettre la semoule dans une terrine résistant à la chaleur, arroser de jus de citron et ajouter 250 ml d'eau bouillante. Laisser reposer 5 minutes, aérer les grains à l'aide d'une fourchette et incorporer le basilic restant. Servir le poulet sur un lit de semoule, garni de quartiers de citron.

THON AU SÉSAME ET SALSA À LA CORIANDRE

Préparation : 15 minutes
+ 15 minutes de réfrigération
Cuisson : 10 minutes
Pour 4 personnes

4 steaks de thon
115 g de graines de sésame
100 g de petites feuilles
de roquette

Salsa à la coriandre
2 tomates, épépinées
et coupées en dés
1 gousses d'ail, hachée
2 cuil. à soupe de feuilles
de coriandre fraîche
finement hachées
2 cuil. à soupe d'huile d'olive
vierge extra
1 cuil. à soupe de jus de citron
vert

1 Couper chaque steak de thon en trois. Mettre les graines de sésame sur du papier sulfurisé, passer les morceaux de thon dans les graines de sésame de façon à bien les enrober et mettre au réfrigérateur 15 minutes.

2 Pour la salsa, mettre les tomates, l'ail, la coriandre, l'huile et le jus de citron vert dans une terrine, mélanger et couvrir. Réserver au réfrigérateur.

3 Verser 1,5 cm d'huile dans une sauteuse, chauffer et ajouter la moitié du thon. Cuire 2 minutes de chaque côté, jusqu'à ce que le thon soit cuit mais toujours rosé au centre, retirer de la sauteuse et égoutter sur du papier absorbant. Répéter l'opération avec le thon restant. Répartir la roquette sur 4 assiettes, ajouter le thon et garnir de salsa à la coriandre. Napper éventuellement de sauce au piment et saler et poivrer à volonté.

1

2

3

AGNEAU ÉPICÉ À L'INDIENNE

Préparation : 15 minutes
+ 30 minutes de macération
+ 5 minutes de repos
Cuisson : 20 minutes
Pour 4 à 6 personnes

3 cuil. à soupe d'huile
2 cuil. à soupe de poudre
   de curry de Madras
4 filets d'agneau
1 cuil. à soupe de pickle
   d'aubergine (*voir* note)
250 g de yaourt à la grecque
350 g de semoule
1/2 poivron rouge, coupé en dés
4 oignons verts, émincés
   en biais

1 Mélanger 2 cuillerées à soupe d'huile et la poudre de curry. Mettre l'agneau dans un plat non métallique, enduire du mélange précédent et couvrir. Laisser mariner 30 minutes. Préchauffer le four à 180 °C (th. 6).

2 Mélanger le pickle d'aubergine et le yaourt à la grecque, ajouter 2 cuillerées à soupe d'eau et réserver. Dans une poêle, chauffer l'huile, ajouter l'agneau et cuire 2 à 3 minutes de chaque côté, jusqu'à ce que la viande soit saisie. Transférer dans un plat allant au four, cuire 10 à 12 minutes et retirer du four. Couvrir, laisser reposer 5 minutes et couper en lamelles.

3 Mettre la semoule dans une terrine, saler et couvrir avec 450 ml d'eau bouillante. Laisser reposer 5 minutes, jusqu'à ce que l'eau soit absorbée, aérer les grains à l'aide d'une fourchette et laisser refroidir. Ajouter les poivrons, les oignons verts et la moitié du mélange à base de pickle d'aubergine. Servir l'agneau sur un lit de semoule, nappé de mélange à base de pickle d'aubergine et éventuellement garni de coriandre fraîche.

SECRETS DU CHEF

Note : le pickle d'aubergine est vendu dans les épiceries asiatiques. À défaut, utiliser du chutney de mangue.

Pour préparer la semoule, il est possible de remplacer l'eau par du jus d'orange, et les poivrons et les oignons verts par des noix et des raisins secs. En cas d'utilisation d'une poêle anti-adhésive pour la cuisson de la viande, omettre l'huile.

1

2

3

RISOTTO DE PATATE DOUCE À LA SAUGE

Préparation : 15 minutes
Cuisson : 35 minutes
Pour 4 personnes

8 tranches de prosciutto
100 ml d'huile d'olive vierge extra
1 oignon rouge, coupé en fins quartiers
600 g de patates douces orange, pelées et coupées en cubes de 2,5 cm
440 g de riz arborio
1,25 l de bouillon de poulet
75 g de parmesan, râpé
3 cuil. à soupe de sauge fraîche ciselée

1 Mettre le prosciutto sur une plaque et passer au gril 1 à 2 minutes de chaque côté, jusqu'à ce qu'il soit croustillant.

2 Dans une casserole, chauffer 60 ml d'huile, ajouter l'oignon et cuire 2 à 3 minutes à feu moyen, jusqu'à ce qu'il soit tendre. Ajouter la patate douce et le riz, et mélanger de sorte que les grains de riz soient enrobés d'huile.

3 Mouiller avec 125 ml de bouillon et cuire à feu moyen sans cesser de remuer jusqu'à ce qu'il soit absorbé. Répéter l'opération en ajoutant chaque fois 125 ml de bouillon, jusqu'à ce que tout le bouillon soit absorbé et que le riz soit tendre et crémeux. L'opération doit prendre environ 20 à 25 minutes. Incorporer le parmesan et 2 cuillerées à soupe de sauge, saler et poivrer à volonté et répartir dans 4 assiettes à soupe. Arroser de l'huile restante. Briser le prosciutto en morceaux, répartir dans les assiettes et parsemer de sauge. Décorer éventuellement de copeaux de parmesan et servir immédiatement.

1

2

3

POISSON
À LA MODE CAJUN
ET SALSA À L'ANANAS

Préparation : 15 minutes
  + 20 minutes de réfrigération
Cuisson : 15 minutes
Pour 6 personnes

**1 morceau d'ananas frais
  de 8 cm, coupé en dés**

**6 oignons verts, finement
  émincés**

**2 cuil. à soupe de menthe
  fraîche, finement ciselée**

**60 ml de vinaigre de noix
  de coco**

60 ml d'huile d'olive

**6 cuil. à soupe d'épices cajun
  en poudre**

6 filets de lingue

60 g de yaourt à la grecque

1 Dans une terrine, mettre l'ananas, les oignons verts et la menthe, poivrer et bien mélanger le tout. Incorporer le vinaigre et 2 cuillerées à soupe d'huile juste avant de servir.

2 Dans une poêle, mettre les épices cajun et faire griller à sec 1 minute à feu moyen, jusqu'à ce que les arômes se développent. Transférer sur un morceau de papier sulfurisé, passer les filets de lingue dans les épices de sorte qu'ils soient uniformément enrobés et secouer de façon à retirer l'excédent. Mettre au réfrigérateur 20 minutes.

3 Préparer le barbecue ou chauffer une poêle à fond rainuré. Huiler la grille ou la poêle, ajouter la moitié du poisson et cuire 2 à 3 minutes de chaque côté, selon l'épaisseur des filets. Répéter l'opération avec le poisson restant. Servir garni de yaourt à la grecque et accompagné de salsa à l'ananas.

1

2

3

TOURNEDOS AUX ÉCHALOTES ET AUX ÉPINARDS

Préparation : 15 minutes
Cuisson : 40 minutes
Pour 4 personnes

16 échalotes, pelées
2 cuil. à soupe d'huile d'olive
   légère
1,25 kg de tournedos, parés
250 ml de vin rouge
2 cuil. à soupe de sucre roux
2 cuil. à soupe de vinaigre
   balsamique
1 kg d'épinards
60 ml de crème fraîche épaisse

1 Préchauffer le four à 200 °C (th. 6-7). Porter une casserole d'eau salée à ébullition, ajouter les échalotes et cuire 1 minute. Égoutter en réservant 250 ml d'eau de cuisson. Dans une poêle, chauffer 1 cuillerée à soupe d'huile, ajouter les tournedos et cuire jusqu'à ce qu'ils soient uniformément saisis. Transférer dans un plat allant au four et cuire 20 minutes, selon son goût. Couvrir et réserver au chaud. Verser le vin rouge et 185 ml d'eau de cuisson réservée dans la poêle, porter à ébullition et laisser bouillir 5 minutes, jusqu'à ce que le liquide ait réduit à 250 ml. Saler et poivrer selon son goût.

2 Dans une autre poêle, chauffer l'huile restante, ajouter les échalotes et cuire 10 minutes à feu moyen sans cesser de remuer, jusqu'à ce qu'elles soient uniformément dorées. Ajouter le sucre et cuire encore 2 minutes. Ajouter le vinaigre balsamique et cuire 10 minutes, jusqu'à ce que les échalotes soient caramélisées.

3 Dans une casserole, mettre les épinards et l'eau de cuisson des échalotes restante, et cuire 2 à 3 minutes à feu moyen, jusqu'à ce que les épinards soient flétris. Incorporer la crème fraîche et saler et poivrer à volonté. Réchauffer la sauce au vin. Répartir les épinards dans 4 assiettes, garnir des tournedos et de 4 échalotes, et arroser de sauce au vin. Poivrer et servir immédiatement.

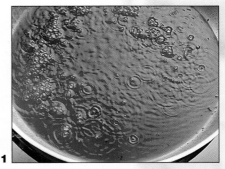

1

2

3

50 PETITS DÎNERS SIMPLISSIMES

PÂTES AU THON ET AUX TOMATES SÉCHÉES

Préparation : 15 minutes
Cuisson : 15 minutes
Pour 4 personnes

350 g de fettucines
350 g de steaks de thon
75 g de tomates séchées
    au soleil, égouttées
    et hachées, en réservant
    2 cuil. à soupe d'huile
2 gousses d'ail, hachées
115 g de poivrons séchés
    au soleil, égouttés et hachés
100 g de câpres, égouttées
175 g d'olives noires,
    dénoyautées et coupées
    en quartiers
100 g de pousses de roquette

1 Porter une casserole d'eau salée à ébullition, ajouter les pâtes et cuire jusqu'à ce qu'elles soient al dente.

Égoutter. Huiler une poêle à fond rainuré, ajouter le thon et cuire 1 à 2 minutes de chaque côté, jusqu'à ce qu'il soit cuit mais toujours rosé au centre. Couper en cubes de 2,5 cm et réserver au chaud.

2 Dans une casserole, chauffer l'huile des tomates séchées réservée, ajouter les tomates, l'ail, les poivrons, les câpres et les olives, et cuire 5 à 6 minutes sans cesser de remuer, jusqu'à ce que le tout soit bien chaud.

3 Dans une terrine, mettre le mélange précédent, les pâtes et la roquette, saler et poivrer à volonté et mélanger. Répartir dans 4 assiettes, ajouter le thon et servir éventuellement garni de quartiers de citron et de copeaux de parmesan.

SECRETS DU CHEF

Note : il est possible de servir le thon cru – utiliser du thon pour sashimi.

À défaut de pousses de roquette, utiliser de plus grandes feuilles de roquette et les ciseler.

GRATINS DE MACARONIS À LA BÉCHAMEL

Préparation : 15 minutes
 + 5 minutes de repos
Cuisson : 35 minutes
Pour 4 personnes

200 g de macaronis
160 g de beurre
30 g de farine
625 ml de lait
1 œuf, légèrement battu
185 g de cheddar, râpé
2 gousses d'ail, hachées
2 tomates mûres, épépinées
 et coupées en dés

1 Préchauffer le four à 180 °C (th. 6). Graisser 4 ramequins d'une contenance de 250 ml. Porter une casserole d'eau à ébullition, ajouter les pâtes et cuire jusqu'à ce qu'elles soient al dente. Égoutter. Dans une casserole, faire fondre 60 g de beurre, ajouter la farine et cuire 1 minute à feu doux sans cesser de remuer. Retirer du feu et incorporer progressivement le lait sans cesser de remuer. Remettre sur le feu et cuire 4 minutes à feu moyen, jusqu'à ce que la sauce ait épaissi et soit bouillante. Réduire le feu et laisser mijoter encore 1 minute. Retirer du feu et saler et poivrer à volonté.

2 Ajouter les pâtes, l'œuf et les deux tiers du fromage, et bien mélanger le tout. Répartir la préparation obtenue dans les ramequins, parsemer le fromage restant et disposer dans un plat allant au four. Remplir le plat d'eau bouillante de sorte que les ramequins soient immergés à demi et cuire au four 25 minutes, jusqu'à ce que les gratins aient pris. Retirer les ramequins du plat et laisser tiédir 5 minutes.

3 Pour la sauce, faire fondre le beurre restant dans une poêle, ajouter l'ail et les tomates, et cuire 2 minutes à feu moyen sans cesser de remuer. Démouler les gratins sur des assiettes et napper de sauce tomate. Garnir éventuellement de fines herbes et servir immédiatement.

SECRETS DU CHEF

Note : il est important que les ramequins soient plus larges que hauts de sorte que les gratins puissent prendre de façon homogène.

1

2

3

AGNEAU AU ROMARIN, AUX POMMES DE TERRE ET AUX PATATES DOUCES

Préparation : 15 minutes
+ 4 heures de macération
Cuisson : 50 minutes
Pour 4 personnes

3 gousses d'ail, hachées
1 cuil. à soupe de romarin frais haché
2 cuil. à café de cumin en poudre
60 ml d'huile d'olive
2 épaules d'agneau, désossées et troussées (400 g chacune), (*voir* note)
500 g de patates douces orange, pelées et coupées en cubes de 3 cm
500 g de pommes de terre non pelées, coupées en cubes de 3 cm
250 g de baba ganoush prêt à l'emploi (condiment aux aubergines)

1 Dans une jatte, mettre l'ail, le romarin, le cumin et 1 cuillerée à soupe d'huile, et bien mélanger le tout.

Incorporer l'agneau et laisser mariner 4 heures ou toute une nuit.

2 Préchauffer le four à 190 °C (th. 6-7). Dans une poêle, chauffer 1 cuillerée à soupe d'huile, ajouter la viande et cuire 5 minutes, jusqu'à ce qu'elle soit uniformément dorée. Transférer sur une plaque. Enrober les patates douces et les pommes de terre de l'huile restante, saler et ajouter sur la plaque. Cuire au four 20 à 25 minutes, jusqu'à ce que la viande soit cuite. Retirer l'agneau de la plaque, couvrir de papier d'aluminium et réserver au chaud. Cuire les légumes au four encore 15 à 20 minutes, jusqu'à ce qu'ils soient croustillants.

3 Retirer la ficelle de l'agneau et couper en tranches. Réchauffer le baba ganoush. Répartir la viande dans 4 assiettes, garnir de baba ganoush et ajouter les patates douces et les pommes de terre. Saler et poivrer à volonté et garnir éventuellement de brins de romarin frais.

SECRETS DU CHEF

Note : demander au boucher de trousser l'épaule d'agneau, c'est-à-dire de le maintenir enroulé à l'aide d'une ficelle.

1

2

3

COQUELETS RÔTIS AU CITRON CONFIT ET AUX ÉPINARDS

Préparation : 15 minutes
+ 4 heures de macération
Cuisson : 40 minutes
Pour 4 personnes

4 coquelets
60 ml d'huile d'olive
2 cuil. à soupe de thym frais haché
125 ml de jus de citron
80 ml de bouillon de poulet
400 g de pousses d'épinard
1/2 citron confit, rincé, pulpe retirée et finement émincée
65 g de petites olives noires

1 À l'aide de cisailles, retirer la colonne vertébrale des coquelets et maintenir à plat. Dans une terrine non métallique, mettre l'huile, le thym, le jus de citron et le bouillon, battre de façon à bien mélanger le tout et ajouter les coquelets. Couvrir, mettre au réfrigérateur et laisser mariner 4 heures ou toute une nuit.

2 Préchauffer le four à 200 °C (th. 6-7). Égoutter les coquelets en réservant la marinade, transférer sur une lèchefrite et saler. Cuire au four 30 à 35 minutes, jusqu'à ce qu'ils rendent un jus clair et que la peau soit grillée. Couper chaque coquelet en deux de façon à obtenir 8 morceaux. Disposer sur un plat, couvrir et laisser reposer 10 minutes. Réserver au chaud. Disposer la lèchefrite sur le gaz, chauffer à feu moyen et ajouter la marinade réservée. Racler la lèchefrite de façon à détacher les sucs, filtrer et réserver au chaud.

3 Cuire les épinards à la vapeur 1 à 2 minutes, jusqu'à ce qu'ils aient flétri, et répartir dans 4 assiettes. Ajouter les coquelets, parsemer de citron confit et d'olives, et napper de sauce. Garnir éventuellement de brins de thym frais.

CREVETTES LAKSA

Préparation : 15 minutes
+ 5 minutes de repos
Cuisson : 15 minutes
Pour 6 personnes

375 g de vermicelle de riz
2 cuil. à soupe d'huile
1 kg de crevettes crues,
   décortiquées et déveinées
   en conservant la queue
2 à 3 cuil. à soupe de pâte laksa
   prête à l'emploi
1,5 l de lait de coco
1 concombre libanais, coupé
   en bâtonnets de 5 cm
150 g de pousses de soja
3 oignons verts, coupés
   en morceaux en 5 cm

1 Mettre le vermicelle dans une terrine, couvrir d'eau bouillante et laisser tremper 5 minutes, jusqu'à ce qu'il soit tendre. Égoutter, rincer et égoutter de nouveau.

2 Chauffer un wok à feu vif, ajouter l'huile et incliner le wok de façon à répartir l'huile uniformément. Ajouter la moitié des crevettes et cuire 2 minutes sans cesser de remuer, jusqu'à ce qu'elles commencent à changer de couleur. Retirer du wok et répéter l'opération avec les crevettes restantes.

3 Ajouter la pâte laksa dans le wok et cuire 1 à 2 minutes sans cesser de remuer. Mouiller avec le lait de coco et porter à ébullition. Réduire le feu, ajouter les crevettes et chauffer 2 à 3 minutes. Répartir le vermicelle dans 6 bols, garnir de concombre, de pousses de soja et d'oignons verts, et ajouter les crevettes.

CHEVEUX D'ANGE AUX NOIX DE SAINT-JACQUES

Préparation : 10 minutes
Cuisson : 15 minutes
Pour 4 personnes

20 noix de Saint-Jacques
    avec le corail
250 g de cheveux d'ange
    (vermicelle)
150 ml d'huile d'olive vierge
    extra
2 gousses d'ail, finement
    hachées
60 ml de vin blanc
1 cuil. à soupe de jus de citron
100 g de petites feuilles
    de roquette
25 g de coriandre fraîche
    hachée

1 Parer les noix de Saint-Jacques en retirant les veines et les muscles, et sécher avec du papier absorbant. Porter une casserole d'eau salée à ébullition, ajouter les pâtes et cuire jusqu'à ce qu'elles soient al dente. Égoutter et incorporer 1 cuillerée à soupe d'huile de sorte qu'elles ne collent pas.

2 Dans une poêle, chauffer 1 cuillerée à soupe d'huile, ajouter l'ail et cuire quelques secondes sans laisser dorer. Mouiller avec le vin et le jus de citron, et retirer du feu.

3 Chauffer une poêle à fond rainuré à feu vif et huiler. Saler et poivrer les noix de Saint-Jacques, ajouter dans la poêle et cuire 1 minute de chaque côté. Réchauffer le mélange à base d'ail à feu doux, ajouter la roquette et cuire 1 à 2 minutes à feu moyen, jusqu'à ce qu'elle ait flétri. Incorporer les cheveux d'ange, ajouter l'huile restante et la moitié de la coriandre, et mélanger. Répartir dans 4 bols de service, garnir de noix de Saint-Jacques et parsemer de coriandre.

SECRETS DU CHEF

Note : ajouter 1/2 cuillerée à café de flocons de piment avant de mouiller avec le vin et le jus de citron pour une saveur plus relevée.

SALADES

TABOULÉ

Préparer 500 g de semoule selon les instructions figurant sur le paquet. Mettre dans un saladier et incorporer 1 oignon rouge haché, 200 g de féta coupée en dés de 1,5 cm, 60 g d'olives noires émincées, 2 concombres libanais pelés, épépinés et hachés, et 50 g de menthe fraîche hachée. Battre 125 ml d'huile d'olive avec 125 ml de jus de citron, et ajouter à la salade. Pour 6 personnes

SALADE DE ROQUETTE
À LA FÉTA ET AUX BETTERAVES

Égoutter 680 g de petites betteraves en bocal, couper en quartiers et mettre dans un saladier. Ajouter 200 g de roquette et 300 g de féta marinée en cubes. Battre 60 ml d'huile avec 1 cuil. à soupe de vinaigre balsamique, napper la salade et mélanger. Saupoudrer de poivre du moulin. Pour 6 personnes

SALADE D'ÉPINARDS FRAIS
AUX TOMATES SÉCHÉES

Retirer la pulpe de 2 quartiers de citron confit, rincer le zeste et émincer finement. Mettre 150 g de pousses d'épinard dans un saladier et ajouter 200 g de tomates séchées émincées, 225 g de cœurs d'artichauts marinés émincés, 85 g d'olives et le citron confit. Mettre 2 cuil. à soupe de jus de citron, 3 cuil. à soupe d'huile d'olive et 1 gousse d'ail hachée dans un bol, saler et poivrer à volonté, et battre le tout. Napper la salade, mélanger et servir immédiatement. Pour 6 personnes

SALADE DE HARICOTS

Porter une casserole d'eau salée à ébullition, ajouter 250 g de haricots verts et 250 g de haricots beurre, et cuire 2 minutes, jusqu'à ce qu'ils soient tendres. Plonger dans de l'eau froide et égoutter. Mettre 60 ml d'huile d'olive, 1 cuil. à soupe de jus de citron et 1 gousse d'ail hachée dans un bol, saler et poivrer à volonté et battre le tout. Mettre les haricots dans un saladier, napper de sauce et mélanger. Garnir de copeaux de parmesan et servir. Pour 6 personnes

SALADE DE TOMATES RÔTIES

Couper 6 tomates roma en quartiers dans la longueur. Mettre sur une plaque et passer au gril 4 à 5 minutes, jusqu'à ce qu'elles soient dorées. Laisser tiédir et mettre dans un saladier. Mélanger 2 cuil. à café de câpres, 6 feuilles de basilic ciselées, 1 cuil. à soupe d'huile d'olive, 1 cuil. à soupe de vinaigre balsamique, 2 gousses d'ail hachées et 1/2 cuil. à café de miel. Saler et poivrer à volonté, napper les tomates et mélanger délicatement. Pour 6 personnes

SALADE DE POMMES DE TERRE

Cuire 1 kg de pommes de terre kipfler ou autres pommes de terre farineuses 20 minutes à l'eau bouillante, jusqu'à ce qu'elles soient tendres. Couper en rondelles de 3 cm d'épaisseur en biais et mettre dans un saladier. Cuire 125 g de lard haché dans un peu d'huile jusqu'à ce qu'il soit croustillant et doré, et ajouter aux pommes de terre avec 2 oignons verts hachés. Battre 125 g de crème aigre, 2 cuil. à soupe d'huile d'olive, 2 cuil. à soupe de vinaigre de vin rouge, 2 cuil. à café de moutarde de Dijon et 2 cuil. à café de moutarde en grains. Napper la salade, saler et poivrer à volonté et mélanger. Pour 6 personnes

Dans le sens des aiguilles d'une montre, de haut en bas : taboulé ; salade de haricots ; salade de tomates rôties ; salade de pommes de terre ; salade d'épinards frais aux tomates séchées ; salade de roquette à la féta et aux betteraves.

AGNEAU AU FENOUIL ET SA PURÉE DE PANAIS À L'AIL RÔTI

Préparation : 15 minutes
Cuisson : 30 minutes
Pour 4 personnes

1 cuil. à soupe de graines
   de fenouil
2 cuil. à soupe d'huile d'olive
12 côtelettes d'agneau, parées
6 grosses gousses d'ail entières
4 gros panais, pelés et hachés
80 ml de crème fraîche
2 cuil. à soupe de sirop
   de sucre de canne

1 Préchauffer le four à 200 °C (th. 6-7) et chauffer une lèchefrite. Écraser légèrement les graines de fenouil, mettre dans une terrine et ajouter l'huile d'olive. Saler et poivrer à volonté et mélanger le tout. Enrober les côtelettes du mélange obtenu et égoutter en réservant 1 cuillerée à soupe du mélange.

2 Dans une poêle, chauffer l'huile réservée, ajouter les côtelettes et cuire 2 à 3 minutes de chaque côté, jusqu'à ce qu'elles soient dorées. Transférer sur la lèchefrite et cuire au four 20 à 25 minutes, jusqu'à ce qu'elles soient tendres. Ajouter les gousses d'ail 10 minutes avant la fin de la cuisson, laisser tiédir et peler.

3 Porter une casserole d'eau salée à ébullition, ajouter les panais et cuire 8 à 10 minutes, jusqu'à ce qu'ils soient tendres. Égoutter, mettre dans un robot de cuisine et ajouter l'ail, la crème fraîche et 1 cuillerée à soupe de sirop de sucre de canne. Mixer jusqu'à obtention d'une consistance homogène et saler et poivrer à volonté. Répartir les côtelettes dans 4 assiettes et servir accompagné de purée de panais et nappé de sirop de sucre de canne.

1

2

3

POULET ET SA SAUCE AUX CHAMPIGNONS ET AU CHARDONNAY

Préparation : 5 minutes
Cuisson : 20 minutes
Pour 4 personnes

60 g de beurre
4 blancs de poulet
2 fines tranches de prosciutto
1 gousse d'ail, hachée
200 g de champignons
  de Paris, émincés
170 ml de chardonnay
1 à 2 cuil. à soupe d'estragon
  frais haché
110 g de mascarpone

1 Dans une poêle, faire fondre la moitié du beurre, ajouter le poulet et cuire 3 à 4 minutes de chaque côté à feu moyen, jusqu'à ce qu'il soit doré et bien cuit. Transférer dans un plat de service chaud. Couper les tranches de prosciutto en deux dans la longueur, disposer chaque demi-tranche sur un blanc de poulet et envelopper de papier d'aluminium. Réserver au chaud.

2 Faire fondre le beurre restant dans la poêle, ajouter l'ail et les champignons, et cuire 2 à 3 minutes à feu moyen sans cesser de remuer, jusqu'à ce que les champignons soient tendres. Mouiller avec le chardonnay, ajouter l'estragon et porter à ébullition. Cuire 5 minutes à feu vif, jusqu'à ce que le vin ait réduit de moitié

3 Incorporer le mascarpone et chauffer à feu doux en veillant à ne pas laisser bouillir. Saler et poivrer, napper le poulet et servir immédiatement, éventuellement accompagné de légumes cuits à la vapeur.

1

2

3

FILETS DE BŒUF ET SON BEURRE AU BLEU

Préparation : 10 minutes
 + 15 minutes de repos
Cuisson : 30 minutes
Pour 4 personnes

1 kg de filet de bœuf
1 cuil. à soupe d'huile d'olive
   vierge extra
40 g de beurre
100 g de bleu, émietté
40 g de noix, grillées
1 cuil. à soupe de ciboulette
   fraîche hachée
100 g de feuilles de roquette

1 Préchauffer le four à 210 °C (th. 7). Ficeler le bœuf de sorte qu'il conserve sa forme à la cuisson. Dans une poêle à fond épais, chauffer l'huile, ajouter le bœuf et cuire 5 minutes, jusqu'à ce qu'il soit uniformément doré. Transférer dans un plat allant au four peu profond, saler et poivrer à volonté et cuire au four 25 minutes ou plus selon son goût. Transférer sur un plat de service chaud, couvrir de papier d'aluminium et laisser reposer 5 à 10 minutes. Retirer la ficelle.

2 Battre le beurre en crème et incorporer le bleu. Hacher finement la moitié des noix, ajouter au beurre et incorporer la ciboulette. Façonner un boudin, envelopper de papier sulfurisé et réserver au réfrigérateur.

3 Répartir la roquette dans 4 assiettes, couper le bœuf en tranches épaisse et répartir sur la roquette. Couper le beurre en tranches de 5 mm d'épaisseur, garnir les tranches de bœuf et parsemer de noix. Servir immédiatement.

1

2

3

POULET GRILLÉ ET SALSA VERDE

Préparation : 10 minutes
Cuisson : 10 minutes
Pour 6 personnes

1 gousse d'ail
60 g de persil plat frais, haché
80 ml d'huile d'olive vierge extra
3 cuil. à soupe d'aneth frais haché
1½ cuil. à soupe de moutarde de Dijon
1 cuil. à soupe de vinaigre de xérès
1 cuil. à soupe de petites câpres, égouttées
6 gros blancs de poulet

1 Mettre tous les ingrédients, excepté le poulet, dans un robot de cuisine et mixer jusqu'à obtention d'une consistance homogène.
2 Graisser une poêle à fond rainuré et chauffer jusqu'à ce que l'huile soit fumante. Ajouter les blancs de poulet et cuire 4 à 5 minutes de chaque côté, jusqu'à ce qu'ils soient bien cuits.
3 Couper chaque blanc de poulet en trois en biais et répartir sur 6 assiettes de service. Garnir de salsa verde, saler et poivrer à volonté, et servir accompagné de salade ou de légumes.

SECRETS DU CHEF

Note : la salsa verde peut être préparée la veille.

1

2

3

AGNEAU AUX POMMES DE TERRE ET SA SAUCE AU VIN ROUGE

Préparation : 15 minutes
Cuisson : 35 minutes
Pour 4 personnes

750 g de pommes de terre
    farineuses, pelées
2 cuil. à soupe de romarin frais
    haché
2 jaunes d'œufs
200 ml de vin rouge
105 g de gelée de groseille
2 cuil. à soupe de menthe
    fraîche hachée
12 côtelettes d'agneau,
    manchonnées (*voir* note)
60 ml d'huile d'olive légère

1 Râper les pommes de terre, mettre dans un torchon et presser de façon à exprimer l'excédent d'eau. Mettre dans une terrine, ajouter le romarin et les jaunes d'œufs, et saler et poivrer à volonté. Mélanger le tout.

2 Dans une casserole, mettre le vin rouge, la gelée et la menthe, porter à ébullition et réduire le feu. Laisser mijoter 10 minutes, jusqu'à ce que la préparation ait réduit de moitié. Enrober chaque côtelette du mélange à base de pommes de terre en laissant l'os apparent.

3 Dans une poêle antiadhésive, chauffer l'huile, ajouter les côtelettes et cuire 3 à 4 minutes de chaque côté à feu moyen, jusqu'à ce qu'elles soient dorées et bien cuites. Répartir dans 4 assiettes, napper de sauce et servir immédiatement, éventuellement accompagné de légumes cuits à la vapeur.

SECRETS DU CHEF

Note : manchonner les côtelettes signifie dégager l'os pour le laisser apparent. Demander au boucher de le faire lui-même.

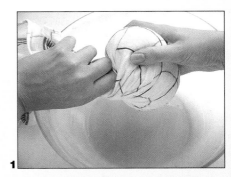

1

2

3

POLENTA AUX ÉPINARDS, AUX CHAMPIGNONS ET AUX TOMATES

Préparation : 15 minutes
+ 30 minutes de macération
Cuisson : 20 minutes
Pour 4 personnes

4 tomates roma, coupées
    en deux dans la longueur
4 gros champignons de Paris
80 ml d'huile à l'ail (*voir* note)
900 ml de bouillon de légumes
175 g de polenta prête
    à l'emploi
150 g de fromage de chèvre,
    émietté
50 g de parmesan, râpé
300 g de pousses d'épinard

1 Mettre les tomates et les champignons dans une terrine non métallique, enrober de la moitié de l'huile à l'ail et laisser mariner 30 minutes. Préchauffer le four à 200 °C (th. 6-7).
2 Mettre les tomates dans un plat allant au four et cuire 20 minutes. Mettre le bouillon dans une casserole,

porter à ébullition et ajouter la polenta très progressivement. Cuire 10 minutes sans cesser de remuer, jusqu'à obtention d'une consistance crémeuse. Incorporer le fromage de chèvre et la moitié du parmesan, retirer du feu et réserver au chaud.
3 Dans une poêle, chauffer 1 cuillerée à soupe d'huile à l'ail, ajouter les champignons et cuire 3 à 4 minutes en remuant une fois, jusqu'à ce qu'ils soient cuits, en veillant à ce qu'ils ne dégorgent pas trop. Retirer de la poêle et réserver. Chauffer l'huile restante dans la poêle, ajouter les épinards et cuire 3 à 4 minutes, jusqu'à ce qu'ils aient flétri. Répartir la polenta dans 4 assiettes de service, garnir d'épinards et de champignons, et ajouter 2 moitiés de tomates. Saupoudrer de parmesan et servir.

SECRETS DU CHEF

Note : l'huile à l'ail est commercialisé dans les épiceries fines. À défaut, faire mariner 1 gousse d'ail hachée pendant 2 heures dans 80 ml d'huile d'olive vierge extra.

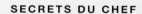

BŒUF AU VIN ROUGE ET PURÉE DE HARICOTS

Préparation : 15 minutes
+ 30 minutes de macération
+ 15 minutes de repos
Cuisson : 40 minutes
Pour 4 personnes

80 ml d'huile d'olive vierge
3 grosses gousses d'ail, hachées
800 g de filets de bœuf
620 g de haricots cannellini en boîte, rincés et égouttés
750 ml de bouillon de bœuf
350 ml de vin rouge
90 g de concentré de tomate
2 cuil. à soupe de sucre roux

1 Mettre l'huile d'olive et 1 gousse d'ail dans une terrine, bien battre et incorporer le bœuf. Laisser mariner 30 minutes. Préchauffer le four à 200 °C (th. 6-7). Mettre les haricots et l'ail restant dans un robot de cuisine et mixer jusqu'à obtention d'une consistance homogène. Moteur en marche, ajouter progressivement 3 cuillerées à soupe de bouillon et saler et poivrer à volonté. Égoutter le bœuf en réservant la marinade.

2 Chauffer une poêle à feu moyen, ajouter le bœuf et cuire 5 minutes en arrosant de marinade, jusqu'à ce qu'il soit uniformément doré. Transférer dans un plat allant au four et cuire 15 à 20 minutes ou plus selon son goût. Couvrir et laisser reposer 15 minutes.

3 Verser le vin dans la poêle et chauffer en raclant le fond de façon à détacher les sucs. Ajouter le bouillon de bœuf restant, le concentré de tomate et le sucre, et laisser mijoter 25 à 30 minutes, jusqu'à ce que la préparation ait réduit de moitié. Transférer la purée de haricots dans une casserole et réchauffer à feu doux. Couper le bœuf en tranches, répartir la purée dans 4 assiettes et garnir de bœuf. Napper de sauce au vin, poivrer et garnir de brins de thym frais. Servir éventuellement accompagné de légumes verts cuits à la vapeur, de petits pois ou d'asperges, par exemple.

RICOTTA GRILLÉE ET SA RATATOUILLE

Préparation : 15 minutes
+ 15 minutes de repos
Cuisson : 2 heures
Pour 8 personnes

300 g d'aubergines, coupées
   en deux
1,5 kg de ricotta, bien égouttée
4 œufs, légèrement battus
3 gousses d'ail, finement
   hachées
2 cuil. à soupe de thym frais
   haché
80 ml d'huile d'olive
3 poivrons, rouge, jaune et vert,
   coupés en dés
425 g de tomates concassées
   en boîte

1 Préchauffer le four à 180 °C (th. 6). Mettre les aubergines sur une plaque, saler et laisser dégorger 15 minutes.

Rincer et essuyer avec du papier absorbant. Dans une terrine, mettre la ricotta, les œufs, 1 gousse d'ail hachée et 1 cuillerée à soupe de thym frais, saler et poivrer à volonté et bien mélanger le tout. Répartir la préparation obtenue dans un moule de 22 cm de diamètre et taper le moule sur le plan de travail de façon à éliminer les bulles d'air. Cuire au four 1 heure, jusqu'à ce que la ricotta soit ferme et dorée. Laisser tiédir sur une grille en pressant régulièrement de façon à éliminer les bulles d'air restantes.

2 Dans une poêle, chauffer 2 cuillerées à soupe d'huile, ajouter les aubergines et cuire 4 à 5 minutes, jusqu'à ce qu'elles soient dorées. Ajouter les poivrons et l'ail restant, et cuire 5 minutes en ajoutant de l'huile si nécessaire. Incorporer les tomates et le thym restant, et cuire encore 10 à 15 minutes. Saler et poivrer à volonté. Démouler la ricotta, couper en quartiers et servir accompagné de ratatouille et garni de brins de thym.

BROCHETTES DE CREVETTES ET DE SAUMON À L'ASIATIQUE

Préparation : 15 minutes
+ 2 heures de macération
Cuisson : 20 minutes
Pour 6 personnes

800 g de filets de saumon

36 crevettes crues, pelées
et déveinées en conservant
la queue

2 morceaux de gingembre frais
de 3 cm, finement émincés

170 ml de vin de riz chinois

185 ml de kecap manis

1/2 cuil. à café de poudre
de cinq-épices

200 g de nouilles aux œufs
fraîches

600 g de bok choy, feuilles
séparées

1 Retirer la peau et les arêtes du saumon et couper en cubes de 3 cm de façon à obtenir 36 cubes. Piquer 3 cubes de saumon en alternant avec 3 crevettes sur des brochettes de façon à obtenir 12 brochettes. Mettre les brochettes dans un plat non métallique. Mélanger le gingembre, le vin de riz, le kecap manis et la poudre de cinq-épices, ajouter aux brochettes et couvrir. Laisser mariner 2 heures ou tout une nuit en retournant les brochettes plusieurs fois.

2 Égoutter en réservant la marinade. Chauffer une poêle à fond rainuré ou préparer le barbecue, huiler et ajouter les brochettes. Cuire 4 à 5 minutes de chaque côté, jusqu'à ce que les brochettes soient bien cuites.

3 Mettre les nouilles dans une terrine, couvrir d'eau bouillante et laisser tremper 5 minutes, jusqu'à ce qu'elles soient tendres. Égoutter et réserver au chaud. Mettre la marinade réservée dans une casserole, porter à ébullition et réduire le feu. Laisser mijoter, ajouter le bok choy et couvrir. Cuire 1 à 2 minutes, jusqu'à ce que le bok choy ait flétri. Répartir les nouilles dans 6 assiettes, ajouter le bok choy et les brochettes, et napper de marinade. Saler et poivrer à volonté et servir immédiatement.

1

2

3

PORC HOISIN, SAUTÉ DE LÉGUMES VERTS ET RIZ AU GINGEMBRE

Préparation : 15 minutes
+ 10 minutes de repos
Cuisson : 35 minutes
Pour 4 personnes

250 g de riz au jasmin
500 g de filets de porc, coupés
    en fines tranches
1 cuil. à soupe de sucre
    en poudre
2 cuil. à soupe d'huile
125 ml de vinaigre de vin blanc
250 ml de sauce hoisin
2 cuil. à soupe de gingembre
    en saumure, haché
    (*voir* note)
1,25 kg de légumes verts
    asiatiques (bok choy, choy
    sum ou épinards)

1 Rincer le riz, mettre dans une casserole et ajouter 435 ml d'eau. Porter à ébullition, couvrir et réduire le feu. Cuire 10 minutes, retirer du feu et laisser reposer 10 minutes sans découvrir. Mettre le porc dans une terrine, saupoudrer de sucre et mélanger. Chauffer un wok à feu vif, ajouter 1 cuillerée à soupe d'huile et incliner le wok de sorte que l'huile soit uniformément répartie. Ajouter le porc, faire revenir 3 minutes, jusqu'à ce qu'il soit doré, et retirer du wok. Ajouter le vinaigre dans le wok, porter à ébullition et laisser bouillir 3 à 5 minutes, jusqu'à ce qu'il ait réduit aux deux tiers. Ajouter la sauce hoisin et 1 cuillerée à soupe de gingembre, et laisser mijoter 5 minutes. Saler et poivrer à volonté. Retirer du wok et réserver.

2 Réchauffer le wok à feu vif, ajouter l'huile restante et faire revenir les légumes verts 3 minutes, jusqu'à ce qu'ils soient croustillants et bien cuits. Incorporer le gingembre restant au riz, presser dans des ramequins ou des bols asiatiques et démouler sur 4 assiettes. Garnir de porc et de légumes, et napper de sauce.

1

2

SECRETS DU CHEF

Note : le gingembre en saumure est commercialisé dans les épiceries asiatiques. À défaut, utiliser du gingembre confit.

PAINS

PALMIERS AUX OLIVES ET AU PARMESAN

Préchauffer le four à 220 °C (th. 7-8). Mélanger 90 g de tapenade d'olive noire, 1 gousse d'ail hachée et 1 cuillerée à soupe de romarin frais haché. Étaler 2 abaisses de pâte feuilletée sur un plan fariné, napper du mélange précédent et rabattre les largeurs opposées vers le centre de sorte qu'elles se juxtaposent. Replier encore deux fois de façon à obtenir 8 couches de pâte. Couper en lamelles de 1 cm d'épaisseur et ouvrir légèrement en cœur. Mettre sur une plaque graissée et cuire au four 15 minutes, jusqu'à ce que les palmiers soient dorés. Saler et servir chaud ou à température ambiante. Pour 30 palmiers

PAIN AU POIVRON ROUGE ET AU BASILIC

Préchauffer le four à 200 °C (th. 6-7). Tamiser 250 g de farine levante et 1 cuil. à café de sucre en poudre dans une terrine et ménager un puits au centre. Mélanger 2 œufs, 250 ml de lait et 60 ml d'huile d'olive, et verser dans le puits. Ajouter 1 poivron rouge finement haché, 50 g de parmesan râpé et 30 g de basilic frais haché, saler et poivrer à volonté et bien mélanger le tout. Répartir la préparation obtenue dans un moule de 20 x 10 cm et cuire au four 35 à 40 minutes, jusqu'à ce que la pointe d'un couteau piquée au centre ressorte sans trace de pâte. Laisser tiédir 5 minutes, démouler et servir chaud. Pour 4 à 6 personnes

CROSTINIS À L'AIL GRILLÉ

Préchauffer le four à 190 °C (th. 6-7). Séparer les gousses d'une tête d'ail entière en conservant la peau et envelopper de papier d'aluminium. Mettre sur une plaque et cuire au four 45 à 50 minutes, jusqu'à ce que les gousses soient très tendres. Couper 24 tranches de 1 cm d'épaisseur dans une baguette, répartir en une seule couche sur une plaque et napper d'huile d'olive vierge extra. Cuire au four 10 à 12 minutes, jusqu'à ce que les tranches soient croustillantes et dorées. Presser la pulpe des gousses d'ail, napper les crostinis et saupoudrer de gros sel et de poivre du moulin. Parsemer 1 cuil. à soupe de thym frais haché et arroser d'huile d'olive. Pour 24 crostinis

MINI-PAINS AU MAÏS

Préchauffer le four à 180 °C (th. 6). Tamiser 125 g de farine levante et 150 g de polenta fine dans une terrine et ménager un puits au centre. Mélanger 250 ml de babeurre, 3 œufs battus, 2 cuil. à soupe de sauce au piment douce et 125 g de beurre fondu, verser dans le puits et ajouter 60 g de cheddar râpé. Saler et poivrer à volonté, mélanger et répartir dans 12 moules à muffin d'une contenance de 125 ml. Parsemer de cheddar et cuire au four 15 à 20 minutes, jusqu'à ce que les mini-pains soient dorés et bien cuits. Pour 12 mini-pains

CAKE AU TOURNESOL

Préchauffer le four à 180 °C (th. 6). Tamiser 300 g de farine levante complète, 2 cuil. à café de sucre en poudre, 1 cuil. à café de sel et 2 cuil. à café de levure chimique dans une terrine et ménager un puits au centre. Mélanger 2 œufs, 250 ml de lait et 80 ml d'huile de tournesol, incorporer 2 cuil. à soupe de graines de tournesol et 2 cuil. à soupe de graines de citrouille. Verser dans le puits, mélanger et répartir la préparation obtenue dans un moule graissé de 20 x 10 cm. Parsemer 1 cuil. à soupe de graines de tournesol et de citrouille, et cuire au four 45 minutes, jusqu'à ce que le cake soit bien cuit. Pour 4 à 6 personnes

PUDDINGS AU THYM

Préchauffer le four à 200 °C (th. 6-7). Graisser 12 moules à muffin avec 1/2 cuil. à café d'huile et mettre au four 5 minutes, jusqu'à ce qu'ils soient très chauds. Tamiser 90 g de farine et 1/2 cuil. à café de sel dans une terrine, ménager un puits au centre et verser 125 ml de lait dans le puits. Battre le tout, ajouter 2 œufs et 60 ml d'eau, et mélanger jusqu'à obtention d'une consistance homogène. Incorporer 2 cuil. à café de thym frais haché et laisser reposer 10 minutes. Battre de nouveau, retirer les moules du four et répartir la préparation obtenue. Cuire au four 20 minutes, jusqu'à ce que les puddings aient levé et soient dorés. Servir immédiatement. Pour 12 puddings
Note : ces puddings s'affaissent en refroidissant.

Dans le sens des aiguilles d'une montre, de haut en bas : palmiers aux olives et au parmesan ; mini-pains au maïs ; cake au tournesol ; puddings au thym ; crostinis à l'ail grillé ; pain au poivron rouge et à l'ail grillé.

SALADE DE POULET AU BLEU ET AUX NOIX

Préparation : 15 minutes
Cuisson : 10 minutes
Pour 4 personnes

4 blancs de poulet
80 ml d'huile d'olive
3 cuil. à café d'estragon frais
    haché
60 g de noix, grossièrement
    hachées
2 cuil. à soupe de vinaigre
    de cidre ou de vinaigre
    de vin rouge
1 cuil. à café de moutarde
    de Dijon
100 g de pousses d'épinard
125 g de bleu, émietté

1 Préchauffer le four à 170 °C (th. 5-6). Mettre les blancs de poulet sur une plaque chemisée de papier d'aluminium, enduire une face avec la moitié de l'huile et saupoudrer de poivre noir et de 1 cuillerée à café d'estragon. Passer au gril 10 minutes, côté garni vers le haut, en retournant à mi-cuisson. Mettre les noix sur une plaque et cuire au four 10 minutes, jusqu'à ce qu'elles soient dorées.

2 Battre le vinaigre, la moutarde, l'estragon restant et l'huile d'olive restante, et saler et poivrer à volonté.

3 Couper les blancs de poulet en lanières de 1,5 cm d'épaisseur perpendiculairement au sens de la fibre. Mettre les épinards, le poulet, les noix et le bleu dans un saladier, ajouter la sauce et mélanger. Servir immédiatement.

1

2

3

SAUMON À LA GREMOLATA

Préparation : 15 minutes
Cuisson : 15 minutes
Pour 4 personnes

Gremolata
10 g de persil plat frais, haché
**3 cuil. à café de zeste de citron
  râpé**
**2 gousses d'ail, finement
  hachées**

**850 g de pommes de terre,
  pelées et coupées
  en quartiers**
40 g de beurre, coupé en dés
170 ml de lait, chaud
**2 cuil. à soupe d'huile d'olive
  vierge extra**
4 filets de saumon de 200 g

1 Pour la gremolata, mettre le persil, le zeste de citron et l'ail dans une terrine et bien mélanger le tout.
2 Porter une casserole d'eau salée à ébullition, ajouter les pommes de terre et cuire 10 minutes, jusqu'à ce qu'elles soient tendres. Égoutter, remettre dans la casserole et réduire en purée ou passer au travers d'un tamis. Ajouter le beurre et le lait chaud, remettre sur le feu et chauffer sans cesser de remuer jusqu'à obtention d'une consistance fluide et homogène. Saler et poivrer à volonté.
3 Dans une poêle à fond épais, chauffer l'huile, ajouter le saumon côté peau vers le bas et cuire 2 minutes de chaque côté à feu vif, ou plus selon son goût. Répartir la purée dans 4 assiettes, ajouter le saumon et parsemer de gremolata. Servir immédiatement, accompagné éventuellement de quartiers de citron.

1

2

3

BŒUF MARINÉ
ET GRATINS
DE POMMES DE TERRE

Préparation : 15 minutes
  + 30 minutes de réfrigération
Cuisson : 40 minutes
Pour 4 personnes

4 filets de bœuf
185 ml de porto
2 gousses d'ail, hachées
1 cuil. à soupe d'huile

Gratins de pommes de terre
4 pommes de terre, coupées
  en fines rondelles
1 oignon, finement émincé
300 ml de crème fraîche
50 g de cheddar, râpé

1 Préchauffer le four à 180 °C (th. 6). Mettre le porc, le porto et l'ail dans une terrine non métallique, couvrir et laisser mariner au réfrigérateur 30 minutes.

2 Pour le gratin, graisser 4 moules à soufflé d'une contenance de 250 ml et alterner des couches de pommes de terre et d'oignon. Verser la crème, parsemer de fromage et mettre sur une plaque. Cuire au four 40 minutes, jusqu'à ce que les gratins soient cuits.

3 Égoutter la viande en réservant la marinade. Dans une poêle antiadhésive, chauffer l'huile, ajouter la viande et cuire 3 minutes de chaque côté à feu vif. Retirer de la poêle. Ajouter la marinade, porter à ébullition et cuire 1 minute, jusqu'à ce qu'elle ait légèrement réduit. Démouler les gratins sur les assiettes et servir avec la viande, nappé de sauce.

1

2

3

BŒUF AU PÂTÉ DE FOIE ET AU PROSCIUTTO

Préparation : 15 minutes
  + 10 minutes de repos
Cuisson : 1 heure
Pour 6 personnes

1,5 kg de filet de bœuf, paré
125 g de pâté de foie de poulet
8 tranches de prosciutto
6 feuilles de laurier fraîches
  ou séchées
2 cuil. à soupe d'huile d'olive
6 gousses d'ail, non pelées
250 ml de vin rouge
250 ml de bouillon de bœuf

1 Préchauffer le four à 200 °C (th. 6-7). Pratiquer une incision au centre du filet de bœuf dans les trois quarts de l'épaisseur et ouvrir en un seul morceau. Napper de pâté de foie, rouler le filet et envelopper de tranches de prosciutto. Déposer les feuilles de laurier et maintenir à laide d'une ficelle.

2 Dans une poêle, chauffer l'huile, ajouter l'ail et cuire 30 à 60 secondes, jusqu'à ce qu'il soit légèrement doré. Retirer de la poêle et mettre dans un plat allant au four. Ajouter la viande dans la poêle, cuire 5 minutes, jusqu'à ce qu'elle soit uniformément dorée, et transférer dans le plat. Cuire au four 50 minutes. Retirer la viande et l'ail du plat, couvrir et laisser reposer 10 minutes.

3 Disposer le plat sur un brûleur de la gazinière, ajouter le vin rouge et chauffer jusqu'à ce qu'il ait réduit de moitié. Ajouter le bouillon de bœuf et chauffer de nouveau jusqu'à ce que le mélange ait réduit de moitié. Saler et poivrer à volonté. Couper la viande en tranches, arroser de sauce et servir garni de gousses d'ail et accompagné de légumes cuits à la vapeur.

1

2

3

ESCALOPES DE VEAU AU VIN BLANC ET AU PERSIL

Préparation : 10 minutes
Cuisson : 10 minutes
Pour 4 personnes

4 escalopes de veau de 170 g
30 g de beurre
60 ml de vin blanc sec
100 ml de crème fraîche
    épaisse
1 cuil. à soupe de moutarde
    en grains
2 cuil. à soupe de persil plat
    frais haché

1 Mettre les escalopes entre deux feuilles de papier sulfurisé et presser à l'aide d'un rouleau à pâtisserie. Dans une poêle, faire fondre le beurre, ajouter les escalopes et cuire 1 minute de chaque côté, jusqu'à ce qu'elles soient cuites. Retirer de la poêle et réserver au chaud.

2 Ajouter le vin dans la poêle, porter à ébullition et cuire 1 à 2 minutes, jusqu'à ce qu'il ait réduit de moitié. Ajouter la crème fraîche, porter à ébullition et cuire jusqu'à ce qu'elle ait réduit de moitié. Incorporer la moutarde et 1 cuillerée à soupe de persil, mettre les escalopes dans la poêle et réchauffer. Servir parsemé de persil et accompagné de mesclun.

STEAKS ET LEUR SAUCE AU POIVRE ROSE

Préparation : 5 minutes
Cuisson : 20 minutes
Pour 4 personnes

60 g de beurre
1 cuil. à soupe d'huile
4 steaks, parés
125 ml de vin blanc
2 cuil. à soupe de cognac
125 ml de bouillon de bœuf
2 cuil. à soupe de grains
    de poivre rose en saumure,
    égouttés et rincés
125 ml de crème fraîche

1 Dans une poêle, chauffer le beurre et l'huile, ajouter les steaks et cuire 3 à 4 minutes de chaque côté à feu vif. Retirer de la poêle, couvrir et réserver au chaud.

2 Verser le vin et le cognac dans la poêle et laisser mijoter 4 minutes, jusqu'à ce que le mélange ait réduit de moitié. Ajouter le bouillon de bœuf et cuire jusqu'à ce que le tout ait réduit de moitié – il doit rester 125 ml de sauce dans la poêle. Concasser la moitié des grains de poivre.

3 Incorporer tous les grains de poivre et la crème fraîche à la sauce et cuire à feu doux jusqu'à ce que la sauce ait légèrement épaissis. Mettre les steaks sur 4 assiettes chaudes, napper de sauce et servir accompagné de mesclun.

1

2

3

JARRETS DE VEAU À LA PURÉE, AUX TOMATES SÉCHÉES ET À LA PANCETTA

Préparation : 15 minutes
Cuisson : 1 h 45
Pour 4 personnes

12 tomates séchées au soleil
    à l'huile
6 tranches de pancetta, coupées
    en lanières
4 jarrets de veau (450 g chacun),
    parés et os retirés
1 gros brin de romarin frais,
    feuilles retirées et hachées
250 ml de vin rouge
900 g de pommes de terre
    farineuses, pelées et coupées
    en morceaux
250 g de mascarpone
100 g de parmesan

1 Préchauffer le four à 180 °C (th. 6). Égoutter les tomates séchées en réservant l'huile. Dans une poêle, chauffer 1 cuillerée à soupe de l'huile réservée, ajouter la pancetta et cuire 3 à 4 minutes à feu vif, jusqu'à ce qu'elle soit dorée et croustillante. Retirer de la poêle, ajouter 2 jarrets de veau et cuire 3 à 4 minutes, jusqu'à ce qu'ils soient uniformément dorés.

Répéter l'opération avec les jarrets restants.

2 Émincer finement les tomates, mettre dans une terrine et ajouter le romarin et la pancetta, et mélanger. Mettre les jarrets dans une cocotte, ajouter le vin rouge, la moitié du mélange précédent et 125 ml d'eau, et saler et poivrer à volonté. Couvrir et cuire au four 1 h 30, jusqu'à ce que les jarrets soient cuits.

3 Porter une casserole d'eau salée à ébullition, ajouter les pommes de terre et cuire 10 à 15 minutes, jusqu'à ce qu'elles soient tendres. Égoutter, remettre dans la casserole et réduire en purée. Incorporer le mascarpone et la moitié du parmesan, et réserver au chaud. Ajouter le parmesan restant au mélange à base de tomates restant. Répartir la purée dans 4 assiettes, ajouter les jarrets et napper de sauce. Répartir le mélange à base de tomate dans les assiettes et servir.

SECRETS DU CHEF

Note : si la purée de pommes de terre est trop sèche, incorporer 2 cuillerées à soupe de lait chaud.

1

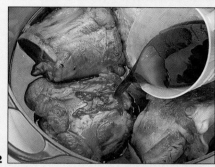

2

3

DESSERTS

CRÈME GLACÉE À LA MANGUE EN COUPELLES AU COGNAC

Préparation : 15 minutes
  + congélation
Cuisson : aucune
Pour 6 personnes

400 g de mangue surgelée
125 g de sucre en poudre
**60 ml de nectar de mangue
  ou d'abricot**
300 ml de crème fraîche
**6 coupelles au cognac prêtes
  à l'emploi**
**lamelles de mangue,
  en garniture**
**brins de menthe fraîche,
  en garniture**

1 Décongeler légèrement la mangue de sorte qu'elle puisse être réduite en purée. Mettre dans une jatte, ajouter le sucre et le nectar, et remuer 1 à 2 minutes, jusqu'à ce que le sucre soit dissous.

2 Fouetter la crème, incorporer au mélange précédent et répartir dans des récipients en plastique profonds. Couvrir et mettre au congélateur 1 h 30, jusqu'à ce que la préparation soit à demi congelée. Transférer rapidement dans un robot de cuisine, mixer 30 secondes, jusqu'à obtention d'une consistance homogène. Couvrir et mettre de nouveau au congélateur jusqu'à ce que la préparation soit totalement congelée. Retirer du congélateur 10 minutes avant de servir. Répartir la crème glacée dans les coupelles et garnir de lamelles de mangue et de brins de menthe.

SECRETS DU CHEF

Conseil : la crème glacée doit rester 8 heures au congélateur avec d'être servie et se conserve 3 semaines. À défaut de mangue surgelée, mixer la chair de 3 ou 4 mangues.

GÂTEAU AU CHOCOLAT SANS FARINE

Préparation : 15 minutes
Cuisson : 1 heure
Pour 8 personnes

95 g de sucre roux
6 œufs
400 g de chocolat noir
1 cuil. à soupe de Grand Marnier
**1 cuil. à café de cannelle
en poudre**
**300 ml de crème fraîche
épaisse, un peu plus
pour servir**
sucre glace, pour saupoudrer
fraises, en garniture

1 Préchauffer le four à 180 °C (th. 6). Graisser un moule de 23 cm de diamètre et chemiser la base de papier sulfurisé. Mettre le sucre et les œufs dans une jatte, et battre 10 minutes, jusqu'à ce que le mélange blanchisse.

2 Hacher le chocolat, mettre dans une jatte résistant à la chaleur et disposer sur une casserole d'eau frémissante en veillant à ce que l'eau ne touche pas la jatte. Laisser fondre en remuant de temps en temps. Dans une jatte, mettre le Grand Marnier, la cannelle, le mélange à base d'œufs et le chocolat, mélanger et incorporer la crème fraîche délicatement.

3 Répartir la préparation obtenue dans le moule et cuire au four 1 heure, jusqu'à ce que la pointe d'un couteau piquée au centre ressorte sans trace de pâte. Laisser tiédir, démouler et laisser refroidir complètement sur une grille. Couper en parts, saupoudrer de sucre glace et servir nappé de crème fraîche et garni de fraises.

SECRETS DU CHEF

Note : ce gâteau très moelleux s'affaissera au centre. Il est possible de remplacer le Grand Marnier par du cognac, du cointreau ou du Tia Maria.

1

2

3

COMPOTE DE FRUITS D'ÉTÉ

Préparation : 15 minutes
+ 3 heures de réfrigération
Cuisson : 5 minutes
Pour 6 personnes

500 g de sucre en poudre
750 ml de vin blanc,
    du chardonnay par exemple
2 cuil. à café de zeste de citron
    vert
60 ml de jus de citron vert
2 mangues
3 pêches
3 nectarines
crème à la vanille,
    en accompagnement

1 Dans une casserole, mettre le sucre, le vin blanc, le zeste de citron vert et le jus, chauffer 3 minutes à feu doux sans cesser de remuer, jusqu'à ce que le sucre soit dissous, et réduire le feu. Laisser mijoter 2 minutes et réserver au chaud.

2 Couper la mangue en deux de chaque côté du noyau, retirer la peau et découper chaque moitié en 6 quartiers. Mettre dans une jatte et réserver. Pratiquer une incision en croix à la base des pêches et des nectarines, plonger dans de l'eau bouillante et transférer dans de l'eau froide. Retirer la peau et couper chaque fruit en 4 quartiers. Ajouter à la mangue.

3 Napper les fruits de la préparation à base de vin, couvrir et mettre au réfrigérateur 2 à 3 heures. Servir à température ambiante, accompagné de crème glacée.

SECRETS DU CHEF

Note : il est possible de ne pas peler les pêches et les nectarines.

1

2

3

POIRES ET LEUR SIROP AU SAFRAN ET AUX AGRUMES

Préparation : 10 minutes
Cuisson : 40 minutes
Pour 4 personnes

1 gousse de vanille
$1/2$ cuil. à café de filaments de safran
185 g de sucre en poudre
2 cuil. à café de zeste de citron râpé
4 poires, pelées en conservant la queue
crème fouettée, en accompagnement
biscotti, en accompagnement

1 Dans une casserole, mettre la gousse de vanille, les filaments de safran, le sucre en poudre et le zeste de citron, ajouter 1 litre d'eau et mélanger. Chauffer à feu doux sans cesser de remuer jusqu'à ce que le sucre soit dissous, porter à ébullition et réduire le feu. Laisser mijoter 10 à 12 minutes, jusqu'à obtention d'un sirop.

2 Ajouter les poires, couvrir et cuire 12 à 15 minutes, jusqu'à ce qu'elles soient tendres. Retourner les poires à mi-cuisson à l'aide d'une spatule. Retirer du sirop.

3 Porter à ébullition et cuire encore 10 minutes, jusqu'à ce que le sirop ait réduit de moitié et épaissi. Retirer la gousse de vanille. Servir les poires nappées de sirop et accompagnées de crème fouettée et de biscotti.

ZABAGLIONE AU MARSALA ET PRUNES GRILLÉES

Préparation : 5 minutes
Cuisson : 10 minutes
Pour 4 personnes

Zabaglione
4 jaunes d'œufs
60 g de sucre en poudre
80 ml de marsala

4 prunes
**1 cuil. à soupe de sucre
en poudre supplémentaire**

1 Pour le zabaglione, remplir une casserole à moitié d'eau et porter au point de frémissement. Dans une jatte, mettre les jaunes d'œufs, le sucre et le marsala, battre le tout et disposer sur la casserole en veillant à ce que l'eau ne touche pas la jatte. Battre 5 minutes, jusqu'à obtention d'une consistance mousseuse et épaisse qui fasse un ruban.

2 Couper les prunes en deux, retirer les noyaux et mettre sur une plaque, côté coupé vers le haut. Saupoudrer de sucre et passer au gril 5 minutes, jusqu'à ce qu'elles soient tendres et caramélisées. Servir nappé de zabaglione.

SECRETS DU CHEF

Variante : cette recette fonctionne très bien avec des pêches.

TARTELETTES AUX POMMES

Préparation : 15 minutes
Cuisson : 40 minutes
Pour 4 personnes

90 g de miel
1 pincée de poudre
de quatre-épices
2 grosses pommes vertes
(375 g)
2 abaisses de pâte feuilletée
3 cuil. à soupe de poudre
d'amande
2 cuil. à café de sucre roux
40 g de beurre, coupé en dés
crème fraîche épaisse,
en accompagnement

1 Préchauffer le four à 210 °C (th. 7). Dans une casserole, mettre le miel, les épices et 170 ml d'eau et mélanger. Peler les pommes, évider et couper en fines lamelles. Ajouter dans la casserole, couvrir et cuire 8 minutes à feu doux, jusqu'à ce que les pommes soient tendres. Remuer délicatement à mi-cuisson. Laisser refroidir et égoutter les pommes en réservant le jus de cuisson. Remettre la casserole sur le feu, porter à ébullition et laisser bouillir 10 minutes, jusqu'à obtention d'un sirop.

2 Prélever 4 ronds de 12 cm de diamètre dans les abaisses de pâte, disposer sur une plaque beurrée et saupoudrer de poudre d'amande. Répartir les lamelles de pomme sur la pâte en spirale, saupoudrer de sucre roux et parsemer de noix de beurre. Cuire au four 15 à 20 minutes, jusqu'à ce que les tartelettes soient dorées, arroser de sirop et servir accompagné de crème fraîche.

1

2

FIGUES
AU CARAMEL

Préparation : 5 minutes
Cuisson : 10 minutes
Pour 4 personnes

60 g de beurre
45 g de sucre roux
6 figues fraîches, coupées
   en deux
crème fraîche épaisse ou crème
   glacée, en accompagnement

1 Pour le caramel, mettre le beurre et le sucre dans une casserole, et chauf-fer 2 à 3 minutes sans cesser de remuer, jusqu'à ce que le sucre soit dissous et le beurre fondu.

2 Enduire le côté coupé des figues de la préparation obtenue et passer au gril 3 à 5 minutes, jusqu'à ce qu'elles soient tendres, en arrosant régulièrement de caramel. Servir nappé de caramel et accompagné de crème fraîche et de crème glacée.

SECRETS DU CHEF

Note : pour une sauce plus fluide, incorporer de la crème fraîche dans le caramel après avoir nappé les figues.

COUPES
AUX FRAMBOISES

Préparation : 10 minutes
+ 1 heure de réfrigération
Cuisson : aucune
Pour 4 personnes

**600 ml de crème anglaise
prête à l'emploi
110 g de mascarpone
ou de crème aigre
8 boudoirs, concassés**

**4¹/₂ cuil. à soupe de cognac
200 g de framboises, fraîches
ou surgelées**

1 Dans une jatte, mettre la crème
anglaise et le mascarpone, et battre
jusqu'à obtention d'une consistance
homogène. Répartir un tiers des boudoirs dans des coupes et arroser d'un
tiers du cognac. Ajouter un tiers du
mélange précédent et parsemer d'un
tiers des framboises. Répéter l'opération avec les ingrédients restants et
mettre au réfrigérateur 1 heure.

1

ZUCOTTOS

Préparation : 15 minutes
  + 2 heures de réfrigération
Cuisson : aucune
Pour 6 personnes

**1 gâteau de Savoie de 450 g
  prêt à l'emploi**
60 ml de cointreau
60 ml de cognac
**300 ml de crème fraîche
  épaisse**
**3 cuil. à café de sucre glace,
  tamisé**
**80 g d'amandes, grillées
  et concassées**
**70 g de noisettes, grillées
  et concassées**
**150 g de chocolat noir,
  finement haché**

1 Couper le gâteau en tranches de 5 mm d'épaisseur. Graisser 6 ramequins d'une contenance de 150 ml et chemiser de film alimentaire de sorte que les extrémités retombent à l'extérieur des ramequins. Chemiser les ramequins de tranches de gâteau en pressant bien. Mélanger le cognac et le cointreau, et arroser les tranches de la moitié du mélange obtenu.

2 Dans une jatte, mettre la crème et le sucre glace, fouetter à l'aide d'un batteur électrique et incorporer les noisettes, les amandes, le chocolat et 1 cuillerée à café $1/2$ d'alcool. La préparation doit être très épaisse.

3 Répartir dans les ramequins, lisser la surface et couvrir avec les extrémités du film alimentaire. Mettre au réfrigérateur 2 heures. Démouler, retourner sur des assiettes et arroser de l'alcool restant.

CRÈME GLACÉE À LA NOIX DE COCO ET AU CITRON VERT

Préparation : 10 minutes
  + 30 minutes de congélation
Cuisson : aucune
Pour 4 personnes

25 g de noix de coco
  déshydratée
1½ cuil. à soupe de zeste
  de citron vert râpé
80 ml de jus de citron vert
4 cuil. à soupe de lait de coco
  en poudre

1 litre de crème glacée
  à la vanille
macarons à la noix de coco,
  en accompagnement

1 Mettre la noix de coco, le zeste, le jus de citron vert et le lait de coco dans une jatte et mélanger.
2 Incorporer à la crème glacée et mélanger à l'aide d'une cuillère métallique. Procéder rapidement de sorte que la crème glacée ne fonde pas. Mettre au congélateur 30 minutes, jusqu'à ce que la crème glacée soit ferme. Répartir dans des coupelles et servir accompagné de macarons à la noix de coco.

1

2

TARTE TATIN

Préparation : 15 minutes
Cuisson : 1 h 10
Pour 6 personnes

100 g de beurre, coupé en dés
185 g de sucre
6 grosses pommes, pelées,
évidées et coupées
en quartiers (*voir* note)
1 abaisse de pâte feuilletée
crème fraîche épaisse
ou crème glacée,
en accompagnement

1 Préchauffer le four à 220 °C (th. 7-8). Graisser un moule de 23 cm de diamètre. Dans une poêle, faire fondre le beurre, ajouter le sucre et cuire 4 à 5 minutes à feu moyen, jusqu'à ce que le sucre caramélise. Cuire sans cesser de remuer jusqu'à ce que la préparation soit dorée.
2 Ajouter les pommes dans la poêle et cuire 20 à 25 minutes à feu doux, jusqu'à ce qu'elles soient dorées. Retourner délicatement les pommes et cuire jusqu'à ce que l'autre face soit dorée. Augmenter le feu de sorte que le jus de pomme s'évapore. Le caramel doit être épais. Retirer du feu, répartir les pommes dans le moule à l'aide de pinces et napper de caramel.
3 Couvrir le tout avec l'abaisse de pâte feuilletée en repoussant les bords le long des parois et cuire au four 30 à 35 minutes, jusqu'à ce que la pâte soit cuite. Laisser reposer 15 minutes, démouler en retournant sur un plat de service et retirer le papier sulfurisé. Servir chaud ou froid, accompagné de crème fraîche épaisse ou de crème glacée.

SECRETS DU CHEF

Note : les pommes contiennent plus ou moins de jus, ce qui influe sur le temps de cuisson. Les pommes golden, pink lady ou fuji sont idéales pour ce type de recette car elles ne se brisent pas à la cuisson.

1

2

3

GÂTEAU DE RIZ AU CHOCOLAT

Préparation : 10 minutes
Cuisson : 30 minutes
Pour 6 personnes

220 g de riz
750 ml de lait
125 g de chocolat noir,
   concassé
2 à 3 cuil. à soupe de kahlua
1 à 2 cuil. à soupe de sucre
   en poudre
crème fraîche épaisse,
   en accompagnement

1 Dans une casserole, mettre le riz, ajouter 500 ml d'eau bouillante et mélanger. Porter à ébullition et laisser bouillir 5 minutes, jusqu'à ce que l'eau soit presque entièrement absorbée. Ajouter le lait et porter de nouveau à ébullition. Réduire le feu, couvrir et laisser mijoter 20 minutes à feu doux, jusqu'à ce que le riz soit cuit et que la préparation soit épaisse et crémeuse.

2 Ajouter le chocolat et le kahlua, et mélanger jusqu'à ce que le chocolat ait fondu. Ajouter 1 à 2 cuil. à soupe de sucre en poudre selon son goût, répartir dans 6 ramequins d'une contenance 185 ml et servir immédiatement, accompagné de crème.

BRIOCHE GRILLÉE
AUX BANANES
CARAMÉLISÉES

Préparation : 5 minutes
Cuisson : 10 minutes
Pour 4 personnes

1 petite brioche
60 g de beurre
100 g de sucre roux
4 bananes mûres, coupées
   en deux dans la longueur
80 ml de crème fraîche épaisse
2 cuil. à soupe de noix
   concassées, grillées

1 Couper la brioche en 4 tranches de 1 cm d'épaisseur et passer au gril des deux côté jusqu'à ce que les tranches soient dorées. Dans une poêle, mettre le beurre et le sucre, chauffer à feu moyen sans cesser de remuer jusqu'à ce que le tout ait fondu et caramélisé. Ajouter les bananes, côté coupé vers le bas, et cuire 2 minutes. Retourner et cuire encore 2 minutes.

2 Répartir les tranches de brioche sur 4 assiettes, garnir de 2 demi-bananes et arroser de caramel. Servir accompagné de crème fraîche et parsemé de noix.

CRÈME GLACÉE À LA FRAISE

Préparation : 15 minutes
  + refroidissement
  + 1 nuit de congélation
Cuisson : 5 minutes
Pour 4 personnes

500 g de fraises, équeutées, rincées et coupées en lamelles
2 cuil. à soupe de sucre en poudre
2 cuil. à soupe de cointreau ou de jus d'orange
500 ml de crème glacée à la vanille
125 g de myrtilles (facultatif)

1 Dans une casserole, mettre les fraises, ajouter le sucre et le cointreau, et cuire 5 minutes à feu doux, jusqu'à ce que les fraises soient tendres. Retirer du feu, laisser refroidir complètement et mettre au réfrigérateur.

2 Mettre la moitié de la préparation obtenue dans un robot de cuisine et mixer 20 à 30 secondes, jusqu'à obtention d'une consistance homogène. Ajouter la crème glacée et mixer 10 secondes, jusqu'à ce que le tout soit bien mélangé. Répartir dans un récipient en plastique, mettre au congélateur toute une nuit et servir nappé de la préparation restante et éventuellement garni de myrtilles.

1

2

FRUITS DES BOIS AU CHAMPAGNE

Préparation : 10 minutes
+ 1 nuit de réfrigération
Cuisson : 5 minutes
Pour 8 personnes

1 litre de champagne
ou de mousseux
1¹/₂ cuil. à soupe de gélatine
250 g de sucre
4 lanières de zeste de citron
4 lanières de zeste d'orange
250 g de petites fraises,
équeutées et coupées
en deux
255 g de myrtilles

1 Verser 500 ml de champagne dans une jatte et laisser les bulles s'évaporer. Saupoudrer de gélatine et laisser prendre jusqu'à ce que la gélatine soit mousseuse, sans remuer. Dans une casserole, verser le champagne restant, ajouter le sucre et les zestes, et chauffer 3 à 4 minutes à feu doux sans cesser de remuer, jusqu'à ce que le sucre soit dissous.

2 Retirer du feu, ajouter à la gélatine et mélanger jusqu'à ce que la gélatine soit dissoute. Laisser refroidir complètement et retirer les zestes.

3 Répartir les fruits des bois dans des coupes, ajouter le mélange à base de champagne et mettre au réfrigérateur 6 heures, jusqu'à ce que la gélatine ait pris. Retirer du réfrigérateur 15 minutes avant de servir.

1

2

3

NIDS DE MERINGUE
À LA FRAMBOISE

Préparation : 10 minutes
Cuisson : aucune
Pour 4 personnes

100 ml de crème fraîche
40 g de framboises fraîches
   ou surgelées
4 nids de meringue prêts
   à l'emploi
framboises supplémentaires,
   en garniture
sucre glace, pour saupoudrer

1 Fouetter la crème fraîche à l'aide d'un batteur électrique.

2 Mettre les framboises dans un robot de cuisine, mixer jusqu'à obtention d'une consistance homogène et incorporer à la crème fouettée. Disposer les nids de meringue sur 4 assiettes et napper de crème à la framboise. Garnir de framboises entières, saupoudrer de sucre glace et servir immédiatement.

SECRETS DU CHEF

Note : parsemer éventuellement les nids de chocolat râpé.

MOUSSE AU CHOCOLAT

Préparation : 15 minutes
 + 1 heure de réfrigération
Cuisson : 5 minutes
Pour 4 personnes

**125 g de chocolat noir, haché
3 œufs, blancs et jaunes
     séparés
2 cuil. à café de cognac
crème fouettée, en garniture
biscuits au chocolat,
    en accompagnement**

1 Porter une casserole d'eau à ébullition et retirer du feu. Mettre le chocolat dans une jatte résistant à la chaleur, disposer sur la casserole en veillant à ce que l'eau ne touche pas la jatte et laisser fondre en remuant de temps en temps. Retirer de la casserole, laisser tiédir et incorporer les jaunes d'œufs et le cognac.
2 Monter les blancs d'œufs en neige ferme à l'aide d'un batteur électrique. Incorporer une partie des blancs en neige à la préparation précédente à l'aide d'une cuillère métallique de façon à assouplir la consistance et ajouter les blancs en neige restants.
3 Répartir la mousse dans des ramequins ou des coupelles d'une contenance de 150 ml, couvrir et mettre au réfrigérateur 1 heure, jusqu'à ce que la mousse soit ferme. Servir nappé de crème fouettée et accompagné de biscuits au chocolat.

SECRETS DU CHEF

Note : il est possible d'augmenter les quantités de cognac, selon son goût.

GRATINS DE FRUITS D'ÉTÉ

Préparation : 10 minutes
Cuisson : 10 minutes
Pour 4 personnes

2 jaunes d'œufs
2 cuil. à soupe de vin
2 cuil. à soupe de sucre
   en poudre
60 ml de crème fraîche
375 g d'un mélange de fruits
   rouges (fraises, framboises
   et myrtilles)
1¹/₂ cuil. à soupe de sucre glace

1 Dans une jatte, mettre les jaunes d'œufs, le vin et le sucre, disposer sur une casserole d'eau frémissante et battre 6 à 8 minutes à l'aide d'un batteur électrique, jusqu'à ce que la préparation soit épaisse et mousseuse.

2 Dans une autre jatte, mettre la crème fraîche et fouetter 30 secondes, jusqu'à ce qu'elle épaississe. Incorporer le mélange précédent.

3 Répartir les fruits dans 4 ramequins d'une contenance de 250 ml, ajouter la préparation précédente et passer au gril 1 à 2 minutes, jusqu'à ce que les gratins soient dorés. Veiller à ne pas laisser brûler. Saupoudrer de sucre glace et servir immédiatement.

1

2

3

GÉNOISES AU CITRON VERT ET À LA NOIX DE COCO

Préparation : 15 minutes
+ refroidissement
Cuisson : 35 minutes
Pour 6 personnes

250 ml de lait
60 g de noix de coco
  déshydratée
30 g de farine
90 g de sucre en poudre
1 cuil. à café de zeste de citron
  finement râpé
2¹/₂ cuil. à soupe de jus
  de citron vert
3 œufs, blancs et jaunes
  séparés
sucre glace, pour saupoudrer

1 Préchauffer le four à 170 °C (th. 6-7). Dans une casserole, mettre le lait et la noix de coco, porter à ébullition et réduire le feu. Laisser mijoter, retirer du feu et laisser refroidir en remuant de temps en temps. Graisser 6 ramequins d'une contenance de 125 ml.

2 Dans une jatte, mettre la farine, le sucre, le zeste, le jus de citron vert et les jaunes d'œufs. Filtrer le lait dans un tamis en pressant bien (175 ml sont nécessaire, ajouter éventuellement du lait pour compléter). Verser dans la jatte et bien mélanger le tout.

3 Monter les blancs d'œufs en neige ferme, incorporer d'abord 1 cuillerée à soupe de blancs en neige à la préparation précédente et ajouter les blancs en neige restants. Répartir dans les ramequins, disposer dans un plat allant au four et verser de l'eau dans le plat de sorte que les ramequins soient immergés à demi. Cuire au four pendant 30 minutes, jusqu'à ce que les génoises soient dorées. Saupoudrer de sucre glace et servir immédiatement.

1

2

3

PUDDINGS ET LEUR SAUCE AU CHOCOLAT

Préparation : 15 minutes
Cuisson : 20 minutes
Pour 4 personnes

**90 g de farine levante
1 cuil. à soupe de cacao
    en poudre, plus 3 cuil. à café
    supplémentaires
125 g de sucre en poudre
1 œuf, légèrement battu
60 ml de lait
60 g de beurre, fondu
60 g de sucre roux
sucre glace, pour saupoudrer**

1 Préchauffer le four à 180 °C (th. 6). Graisser 4 ramequins d'une contenance de 125 ml. Dans une jatte, tamiser la farine et le cacao, ajouter le sucre et incorporer l'œuf, le lait et le beurre.

2 Répartir la préparation obtenue dans les ramequins, saupoudrer de sucre roux et ajouter le cacao supplémentaire. Disposer les ramequins sur une plaque et verser 60 ml d'eau bouillante dans chaque ramequins. Cuire au four 15 à 20 minutes, jusqu'à ce que la pointe d'un couteau piquée à demi ressorte sans trace de pâte. Saupoudrer de sucre glace et servir immédiatement, accompagné de crème fraîche ou de glace.

SECRETS DU CHEF

Note : pour tester la cuisson des puddings, planter le couteau en biais, de façon à entrer en contact avec la plus grande surface possible.

PETITS GÂTEAUX AU FRUIT DE LA PASSION ET AUX AMANDES ET LEUR CRÈME AU CITRON VERT

Préparation : 15 minutes
Cuisson : 15 minutes
Pour 4 personnes

60 g de poudre d'amande
2 cuil. à soupe de farine, tamisée
100 g de sucre glace, un peu plus pour saupoudrer
1 cuil. à café de zeste de citron vert râpé
pulpe d'un fruit de la passion
120 g de beurre, fondu
2 blancs d'œufs
2 cuil. à soupe de jus de citron vert
1 jaune d'œuf

1 Préchauffer le four à 170 °C (th. 5-6). Graisser 8 moules à muffin d'une contenance de 30 ml. Dans une jatte, mettre la poudre d'amande, la farine, 60 g de sucre glace, le zeste de citron vert, la pulpe de fruit de la passion et la moitié du beurre. Monter les blancs d'œufs en neige ferme, incorporer à au mélange précédent et répartir la préparation obtenue dans les moules. Cuire au four 10 à 15 minutes, jusqu'à ce que les gâteaux soient dorés.

2 Dans une casserole, mettre le jus de citron vert, le beurre restant et le sucre glace restant, chauffer sans cesser de remuer jusqu'à ce que le sucre soit dissous et retirer du feu. Laisser tiédir, incorporer le jaune d'œuf et chauffer de nouveau 5 minutes, jusqu'à ce que la préparation épaississe. Ne pas laisser bouillir.

3 Laisser les gâteaux tiédir, démouler et saupoudrer de sucre glace. Servir immédiatement, nappé de crème au citron vert et accompagné de crème fraîche ou de crème glacée.

SECRETS DU CHEF

Variante : laisser refroidir la crème au citron vert et napper les gâteaux.

1

2

3

FRAISES AU DRAMBUIE

Préparation : 10 minutes
    + 30 minutes de macération
Cuisson : aucune
Pour 4 personnes

500 g de fraises, équeutées
    et coupées en deux
2 cuil. à café d'extrait de vanille
50 ml de drambuie
1 cuil. à soupe de sucre roux
mascarpone, en accompagnement
brins de menthe fraîche,
    en garniture

1 Dans une jatte, mettre les fraises,
l'extrait de vanille, le drambuie et le
sucre roux, mélanger et couvrir. Mettre
au réfrigérateur et laisser mariner
30 minutes, en remuant une ou deux
fois.
2 Répartir le mélange dans des
verres à martini, garnir de mascarpone et décorer de brins de menthe.

CHEESECAKES AU CHOCOLAT BLANC ET AUX FRUITS DES BOIS

Préparation : 15 minutes
+ 1 heure de réfrigération
+ 15 minutes de repos
Cuisson : 25 minutes
Pour 4 personnes

4 sablés à la noix de coco
75 g de chocolat blanc,
    concassé
250 g de fromage frais,
    à température ambiante
60 ml de crème fraîche
125 g de sucre en poudre
1 œuf
250 g d'un mélange de fruits
    des bois
cointreau (facultatif)

1 Préchauffer le four à 160 °C (th. 5-6). Graisser 4 moules à muffin d'une contenance de 250 ml et chemiser de 2 bandes de papier sulfurisé disposées en croix. Déposer un sablé dans chaque moule à muffin. Mettre le chocolat dans une jatte résistant à la chaleur, disposer sur une casserole d'eau frémissante en veillant à ce que l'eau ne touche pas la jatte et laisser fondre en remuant de temps en temps.

2 Dans une jatte, mettre le fromage frais, la crème fraîche et la moitié du sucre, battre à l'aide d'un batteur électrique jusqu'à obtention d'une consistance homogène et épaisse, et incorporer l'œuf et le chocolat fondu. Répartir la préparation obtenue dans les moules et cuire au four 25 minutes, jusqu'à ce que les cheesecakes aient pris. Laisser refroidir complètement, passer un couteau le long des parois des moules et démouler en tirant sur les bandes de papier sulfurisé. Mettre au réfrigérateur 1 heure et réserver.

3 Mettre les fruits des bois dans une jatte, incorporer le sucre restant et laisser reposer 10 à 15 minutes, jusqu'à ce que les fruits aient perdu de leur jus. Incorporer éventuellement le cointreau. Servir les puddings garni de fruits des bois.

1

2

3

TIRAMISU

Préparation : 15 minutes
+ 2 heures de réfrigération
Cuisson : aucune
Pour 6 à 8 personnes

750 ml de café, refroidi
60 ml de rhum brun
2 œufs, blancs et jaunes
séparés
3 cuil. à soupe de sucre
en poudre
250 g de mascarpone
250 ml de crème, fouettée
16 gros boudoirs
2 cuil. à café de cacao
en poudre

1 Mettre le café et le rhum dans une jatte. Dans une autre jatte, mettre les jaunes d'œufs et le sucre, battre 3 minutes à l'aide d'un batteur électrique, jusqu'à ce que le mélange blan-chisse, et incorporer le mascarpone. Ajouter la crème fouettée et mélan-ger à l'aide d'une cuillère métallique.

2 Monter les blancs d'œufs en neige et incorporer à la préparation précé-dente à l'aide d'une cuillère métallique.

3 Plonger la moitié des biscuits un par un dans le mélange à base de café, égoutter l'excédent et répartir dans un plat de service profond d'une conte-nance de 2 litres. Répartir la moitié de la préparation sur les biscuits, répéter l'opération avec les biscuits et la pré-paration restante, et lisser la surface. Saupoudrer de cacao et mettre au réfri-gérateur 2 heures, jusqu'à ce que le tiramisu soit ferme.

SECRETS DU CHEF

Note : le tiramisu peut être préparé **8** heures à l'avance et réservé au réfri-gérateur. Remplacer éventuellement le rhum par du marsala ou du kahlua.

1

2

3

CRÈMES AU CARAMEL

Préparation : 10 minutes
Cuisson : 30 minutes
Pour 6 personnes

250 ml de lait
250 ml de crème fraîche
375 g de sucre en poudre
1 cuil. à café d'extrait de vanille
4 œufs, légèrement battus
90 g de sucre en poudre,
supplémentaires

1 Préchauffer le four à 200 °C (th. 6-7). Mettre le lait et la crème dans une casserole et porter lentement à ébullition.
2 Dans une poêle, mettre le sucre et cuire 8 à 10 minutes à feu moyen en remuant de temps en temps, jusqu'à obtention d'un caramel brun. Briser les cristaux à l'aide d'une cuillère en bois. Répartir le caramel dans 6 ramequins d'une contenance de 125 ml.

3 Mettre l'extrait de vanille, les œufs et le sucre supplémentaire dans une jatte. Retirer la casserole du feu et incorporer progressivement le mélange à base de lait au mélange à base d'œufs. Répartir la préparation obtenue dans les ramequins. Disposer les ramequins dans un plat allant au four, verser de l'eau bouillante dans le plat de sorte que les ramequins soient immergés à demi et cuire au four 20 minutes, jusqu'à ce que la crème ait pris. Passer un couteau à bout rond le long des parois et démouler sur des assiettes.

SECRETS DU CHEF

Note : veiller à bien surveiller la cuisson du caramel – une fois que le sucre commence à fondre, l'obtention du caramel est très rapide. Remuer de temps en temps de sorte que le sucre fonde uniformément et n'attache pas.

Ces crème se servent froides mais elles sont délicieuses chaudes.

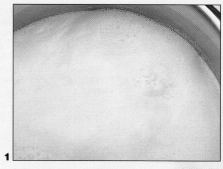

CRÈMES BRÛLÉES À LA CARDAMOME

Préparation : 15 minutes
+ 1 nuit de réfrigération
+ 1 heure de réfrigération
Cuisson : 50 minutes
Pour 6 personnes

625 ml de crème fraîche
6 gousses de cardamome, pilées
6 jaunes d'œufs
60 g de sucre en poudre
45 g de sucre roux

1 Préchauffer le four à 150 °C (th. 5). Dans une casserole, mettre la crème et la cardamome, porter à ébullition et réduire le feu. Laisser mijoter 2 minutes, filtrer et transférer dans un pichet. Nettoyer la casserole. Battre les jaunes d'œufs et le sucre à l'aide d'un batteur électrique jusqu'à ce que le mélange blanchisse, incorporer la crème à la cardamome et reverser dans la casserole. Chauffer à feu doux sans cesser de remuer de façon à obtenir une consistance qui nappe la cuillère et répartir dans 6 ramequins d'une consistance de 100 ml.

2 Disposer les ramequins dans un plat allant au four, verser de l'eau chaude dans le plat de sorte que les ramequins soient immergés à demi et cuire au four 40 minutes, jusqu'à ce que les crèmes aient pris. Retirer du plat, laisser refroidir et couvrir. Mettre au réfrigérateur toute la nuit.

3 Saupoudrer de sucre roux et mettre au réfrigérateur 1 heure. Disposer les ramequins sur une plaque, répartir des glaçons sur la plaque autour des ramequins et passer au gril 3 minutes, jusqu'à ce que le sucre ait fondu et soit légèrement doré. Servir froid.

SECRETS DU CHEF

Note : pour piler les gousses de cardamome, mettre dans un sac en plastique et écraser à l'aide d'un rouleau à pâtisserie.

1

2

3

MERINGUES AU CAFÉ ET LEUR SAUCE AU CHOCOLAT

Préparation : 15 minutes
 + refroidissement
Cuisson : 3 heures
Pour 6 personnes

2 blancs d'œufs
100 g de sucre en poudre
1/2 cuil. à café d'extrait de café
250 ml de crème fraîche
75 g de chocolat au lait,
 concassé
180 g de chocolat noir,
 concassé

1 Préchauffer le four à 120 °C (th. 4). Chemiser une plaque de papier sulfurisé. Monter les blancs d'œufs en neige ferme et ajouter progressivement le sucre en battant bien après chaque ajout de façon à obtenir une consistance épaisse et brillante. Incorporer délicatement l'extrait de café.
2 Transférer les blancs en neige dans une poche à douille munie d'un embout en forme d'étoile et façonner 6 meringues en dômes et 6 autres meringues plus aplaties sur la plaque. Cuire au four 2 h 30, éteindre le four et laisser les meringues dans le four encore 30 minutes. Sortir du four et laisser refroidir.
3 Dans une casserole, verser 100 ml de crème fraîche, porter au point de frémissement et retirer du feu. Incorporer le chocolat au lait, remuer jusqu'à ce que le chocolat ait fondu et laisser refroidir. Fouetter le tout au-dessus d'une jatte d'eau glacée jusqu'à obtention d'une consistance de mousse épaisse. Napper les meringues aplaties de la préparation obtenue et couvrir avec les meringues en dôme. Mettre 125 ml et le chocolat noir dans une casserole, chauffer à feu doux jusqu'à ce que le chocolat ait fondu et répartir au centre de 6 assiettes à dessert. Décorer chaque assiette de quelques gouttes de crème fraîche et disposer les meringues au centre.

PANNA COTTA ET SA SAUCE AU FRUIT DE LA PASSION

Préparation : 15 minutes
+ 6 heures de réfrigération
Cuisson : 5 minutes
Pour 4 personnes

huile d'olive, pour graisser
2½ cuil. à café de gélatine
   en poudre
300 ml de fromage de chèvre
   (*voir* note)
300 ml de crème fraîche
2 cuil. à soupe de sucre
   en poudre
1 cuil. à café d'extrait de vanille

Sauce au fruit de la passion
3 cuil. à soupe de sucre
90 g de pulpe de fruit
   de la passion

1 Graisser 4 ramequins d'une contenance de 150 ml. Dans une jatte, mettre la gélatine et 2 cuillerées à soupe d'eau, disposer au-dessus d'une jatte d'eau chaude et remuer jusqu'à ce que la gélatine soit dissoute.

2 Dans une petite casserole, mettre le fromage et le sucre, chauffer à feu doux sans cesser de remuer jusqu'à ce que le sucre soit dissous et retirer du feu. Incorporer la gélatine et battre jusqu'à ce qu'elle soit dissoute. Laisser reposer quelques minutes, incorporer l'extrait de vanille et répartir dans les ramequins. Mettre au réfrigérateur 6 heures, jusqu'à ce que la panna cotta ait pris.

3 Pour la sauce, mettre le sucre et 125 ml d'eau dans une casserole et chauffer 3 minutes à feu moyen, jusqu'à ce que le sucre soit dissous. Retirer du feu, incorporer la pulpe de fruit de la passion et réserver au réfrigérateur. Passer un couteau le long des parois des ramequins, démouler et napper de sauce.

SECRETS DU CHEF

Note : à défaut de fromage de chèvre, utiliser du lait.

INDEX

REMERCIEMENTS

Responsable projet : Diana Hill **Édition :** Anna Sander **Suivi éditorial :** Jane Lawson Lulu Grimes Rebecca Clancy **Conception :** Marylouise Brammer **Conception graphique :** Norman Baptista **Recettes :** Ruth Armstrong, Julie Ballard, Rebecca Clancy, Michelle Earl, Jane Griffiths, Michelle Lawton, Valli Little, Barbara Lowery, Kate Murdoch, Sally Parker, Jody Vassallo **Conseillers :** Alison Adams, Michelle Earl, Justine Johnston, Kate Murdoch, Melissa Papas, Kim Passenger, Justine Poole, Wendy Quisumbing, Michelle Thrift, Angela Tregonning **Nutritionniste :** Thérèse Abbey **Photographies :** Joe Filshie, Reg Morrison **Stylisme :** Georgina Dolling **Publication :** Kay Scarlett

Titre original : *Entertaining – Quick Short Recipes*

© 2012 - Newcaal srl - Rome, Italy

ISBN: 9 782 350 336 497

Impression: Arti Grafiche Boccia (Sa)